太極拳全

全日本柔拳連盟　会長
地曳秀峰　著

日本の太極拳の父
王樹金 老師
Wang Shu-Chin（1905-1981）

日本正統継承者（著者）

地曳秀峰

Hidemine Jibiki
（1927年生まれ）

全日本柔拳連盟 会長代理

地曳寛子

Hiroko Jibiki

世界大会・海外研修

王樹金老師の墓前で奉納演武をする当連盟会員（上）。國術會の世界大会にて、右から常達偉 伊国会長、楊暁東 米国会長、地曳秀峰 日本国会長、楊瑞峯 國術會理事長、鄭信志 國術會副理事長、地曳寛子 日本国会長代理（右中）。誠明会の世界大会開会式（左中）。台中にある誠明会本部で王福来老師の指導を受ける会員（右下）。行政院の中にある中華國術國際聯盟總會を訪問（左下）

演武大会

王福来老師の陰陽鉞（左上）。地曳秀峰会長の発勁（右上）。本部会員による太極拳（右中）。白熱する推手大会（左下）。黄淑春老師の形意槍（右下）

道場

渋谷駅前にある本部道場（右上）。八卦掌の練習をする上級クラス（左上）。太極拳を練習する会員たち（下）

王樹金老師から著者に贈呈された剣。「地曳秀峰賢弟留念　師　王樹金　贈」と彫られている（右上）。日本分会成立の記念に王樹金老師から著者に贈られた銀皿。「中華国術日本誠明会成立留念　老師　王樹金　贈」と彫られている（左上）。太極拳の使用法を見せる地曳会長（中段）。中華國術國際聯盟總會から著者に贈呈された畳一畳分ほどもある扁額。書道の大家、呉世願老師の文字（右下）。中華武術国際誠明総会から著者に贈呈された扁額。書道の大家、呉崇祺老師の文字（左下）

王樹金老師より著者に贈られた書

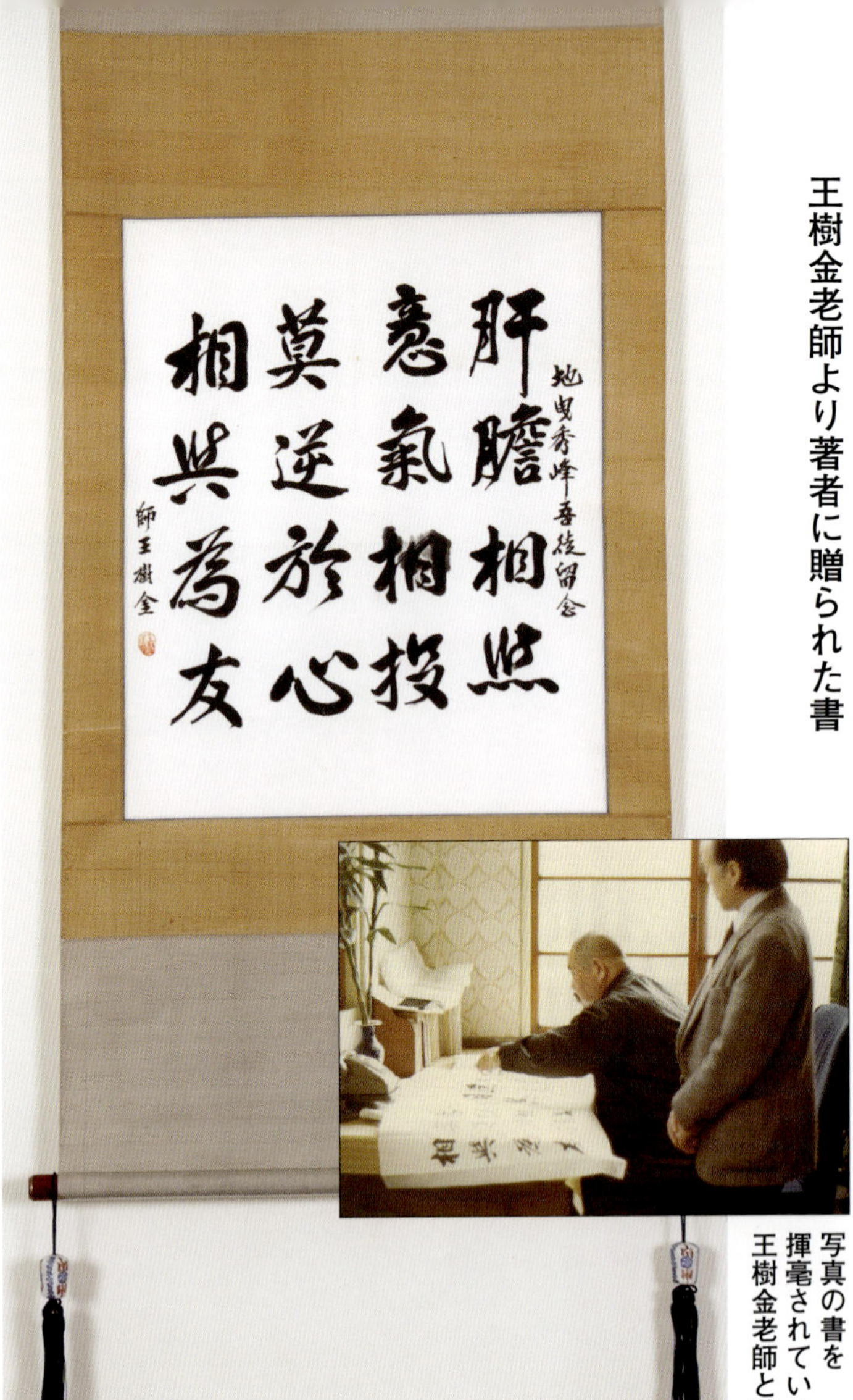
肝膽相照
意氣相投
莫逆於心
相與為友
地曳秀峰吾徒留念
師王樹金

写真の書を揮毫されている王樹金老師と著者

訳

我が弟子 地曳秀峰 留念

心から理解し合い
意気投合し
気心もよくわかり
互いに興じて
友となる

師 王樹金

太極拳全

日華友好親善の架橋

元　中華国術進修会常務理事
元　東京農業大学教授　農学博士等々
呉　柏堂

一九五九年の王樹金《おうじゅきん》師の来日から太極拳、八卦掌《はっけしょう》、形意拳《けいいけん》等の伝来が始まった。いわゆる、日本において斯道《しどう》の開《かい》闢《びゃく》である黎明期でもあり、王師は偉大なパイオニアとしてのこの道を果たされた。彼の「誠通神」の積極的な精神がその求心、円振力によって斯道の日進月歩普及が広がり、この固有文化の拳法が定着を見た。

このように『日華友好親善の架橋』の完成は、頭山泉《とうやまいずみ》翁老先生や私のみでなく、関係者のもっとも欣喜《きんき》する所であった。

この成功は王師の貢献の足跡と同門の方々の大同団結の精進ゆえに築かれたといえるが、また、その一因として気宇《きう》に満ちた自然体の健康法で、静と動が織りなす柔拳《じゅうけん》型の体操であり、男女老幼を問わずその修験者が日々継続の練習により心身ともに健やかな効果を悟るに至った結果論でもあった。

就中、武芸家、地曳秀峰《じびきひでみね》氏が太極拳の原点に魅了され、王樹金師に師事し徹頭徹尾最後までその拳法の正伝に心酔し学んでこられ、王師の後継者として今日にいたった。思えば、王師の忌日《きじつ》には地曳会長自ら幹部を引き連れ、例年の様に「尋根祭墓」と演武慰問等の快挙を内聞いたし、一行の終始一貫たる誠に徹した尊師への篤《あつ》い義理に対し、我々第三者はただ感動した次第で、この立派な方に逢えた事は心快である。こいねがわくば「仁者寿也《じんしゃじゅなり》」と共に社会貢献による斯道の欣々向栄を祈る次第である。

王師は実技演武のみでなく人格者であり、人々に接するに温厚篤実、体格容姿はあたかも「達磨大師《だるまたいし》」の様（面相は異なる）で三角の力士型であるが、温容な福相である。「徳行の長者はその面相をも自ら円満になる」、王師が人々を魅了したその由縁はこの諺《ことわざ》が良く表わしている。全く王師は義に篤く気宇おおらかな至徳の人であった。友人が故人になったことは痛恨に耐え難い。

おもうに人生諸事の道において天時、地利、人和の原点に徹するは至難ではあるが、王樹金師のごとき天性の人と成りが自らの大望の業績を開拓完成した事を、来日四十年前に照らし真実の足跡を顧みての点描であり彼の「天下為公」の功を称えもって祝福し拙稿《せっこう》を終える。追而、門下諸賢の後嗣者が斯道の発揚貢献の実績を垣間《かいま》に瞥見《べっけん》し、その欣々向栄に拍手を贈る次第である。

王樹金老兄に謹んで捧げる詞

君不知乎！君、樹徳開誠以固有文化之拳法、為「日華友好架橋」之功、燦々也。君、已達道先賢也。惟今嗣者亦欣々向栄是頌。

希勿掛念耳。

君、在天一角之冥福。

尚祈

戊寅年晩秋

呉柏堂

於日本

君（王樹金先生のこと）知らざるや！
君が徳を樹《た》て誠《まこと》を開いて我が国固有の文化の拳法を以て「日華友好の架橋」の功《てがら》を立てられた。輝かしいことなり。
思うに、今や後継者の前途洋々たるは、慶祝の至りなり。
御安心下されたし。ここに天の一角におわす君の冥福を祈ります。

戊寅年晩秋

呉柏堂

日本にて　一九九九年

序

中華武術日本誠明会会長・地曳秀峰師弟《じびきひでみねしてい》（弟弟子のこと）の著述された『太極拳　全』がこの度、改定新版として出版されることになりました。王樹金老師は一九五九年に日本武道界及び頭山満《とうやまみつる》先生の令息・頭山泉《いずみ》先生（杖道連盟会長）の招きを受け、中華民国文化特使として日本に渡り、中華武術を伝授しました。それから約五十年の長い歳月が流れ、老師の武芸を日本で学習した者は多数となりました。

その王樹金老師直系の武術書である本書が、改定新版として復刊されたことは私も全世界の同門も皆同様に喜びに堪えないところです。

地曳師弟は王樹金老師から伝授された武術を、誠心誠意学習されたため、老師から深く喜ばれ、そして重んじられました。そのため、地曳師弟は老師が外国人で唯一許可された入室の弟子であります。入室の弟子とは一般の学生、拝師《はいし》を受けた弟子とは異なり、中国国内でも入室弟子を許可された弟子はほとんど皆無といって良いほどであります。このことによって門派の中で地曳師弟の地位は特殊であることがわかります。

また王樹金老師の臨終以前、私はずっと老師に付き添っていましたが、老師は再三日本の武道界の状況を強調して述べられ、色々分析をしていました。特に地曳師弟のことを「しっかりと足が地に着いた、武術に忠実勤勉な努力家で、誠実に大衆に対応した武壇のひとりで、当代まれに見る得難い人物である」と賞賛されていましたが、今やそれは本当に証明されています。

地曳師弟は老師の逝去以降も、長い年月の間、老師の教えを守り、現在でも毎日自己の鍛錬に励まれています。また、本門の武術発展に尽力し、その学生は国の内外に遍及し大成功を収めました。地曳師弟は武術に非凡なまれに見る武術老師であります。師弟は根気よく、懇切で細心誠実な態度で、たとえを挙げて教えられる無類の教育を学生に行いました。ゆえに、学生たちは皆よく理解し、ひいては教授内容もよく学び取れ武学の進歩を早めたので、門弟は皆相当の実力を高めることができました。

地曳師弟は老師の秘術の修得はもちろんですが、特に心性理学の修養面をおさめられ、自在発揮、応用機敏の域に達しています。武術に対する情熱、武術の哲学に対する理解、並びに体験は、非常に深く成就された武術家であることを物語っています。しかし師弟はこれを少しも誇ることなく、一層謙虚に精華の領域を追求されています。

地曳師弟はこの三十年というもの毎年欠かさず、年に二度、老師の春秋礼祭日に弟子を引率して台湾中部の老師の墓園を訪れ祭拝すると共に、霊前で演武し老師在天の霊を慰めています。同時にこの機を利用して門下の弟子に他の同門の演武を見学させ、他人の長所を取り入れ己の短所を補うようにさせています。これを見ても師弟の義に篤く心の広い様がわかるのです。

この書は本門派の全練習者の単なる教本であるばかりでなく、世界中のあらゆる太極拳同好者にとっても多くの比較参考と利益を提供するものであります。ここに私は、地曳師弟の著作が改訂されたことを祝すと共に、本書出版の参与者全員の辛労と貢献に対し深く感謝します。

中華武術国際誠明総会会長
八卦掌 第四世伝人
王　福来

はしがき

中国の伝統武術である太極拳、形意拳《けいいけん》、八卦掌《はっけしょう》の奥義を極めた偉大なる武術家・王樹金《おうじゅきん》老師の技を、書籍の形で世に伝えてから十年が経つ。この度その改訂版を出版させていただくことになった。本書では、老師より伝えられた貴重な技の中から、特に「正宗《せいそう》太極拳」を紹介させていただいている。

「正宗」とは、「正統の、忠実に受け継いでいること」を意味する。すなわち、張三丰《ちょうさんぽう》に始まり、陳家溝《ちんかこう》に伝えられ楊《よう》露禅《ろぜん》によって高められ、以後、分派の経緯などを踏まえながら、今世紀に入ってふたたび統一された拳法。言い換えれば、長い歴史の中で培われた太極拳の真髄を、可能な限りここに書き記した。

思えば初版が発行されてから長い歳月を費やしてしまった。それは私自身、この伝統武術を寸分の狂いなく後世に伝えなければならないとの思いから、自身の鍛錬と練磨に明け暮れるばかりで、そのような余裕を持てずにいたためでもある。

しかしこの間にも、日本で刊行される一部の出版物の中には、王樹金老師の真実が正しく伝えられていない記述が散見され、また、武道界においては、老師の伝統の武術が正確に世に伝えられていないという風潮がいまだ残っている。私は日本における王樹金老師の継承者として、この事態に大きな責任を感じていた。そして、きちんとした形で訂正をし、王樹金老師の大きな功績とこの至極の技術を正しく後世に残さなければならないとの強い思いから、改訂版の出版に至った次第である。読者には、日本に初めて太極拳を伝えたこんな偉大な中国武術家がいたのだという事実を知っていただければ嬉しい。

太極拳、形意拳、八卦掌に代表される中国柔拳《じゅうけん》は、長い中国の歴史の中で、多くの先人たちが改良に改良を重ね、今日に伝えてきた奥の深い武術である。しかもその伝承の多くは書物に残されたわけではなく、師から弟子へ口伝されてきた。私自身も、正宗太極拳を攻防兼ね備えた最高の武道と捉え、伝統に従い、会員諸氏にも口伝してきた。しかし私は、三十数年にわたる指導の中で、武術的な効用のみならず、健康面における正宗太極拳の絶大な効果を改めて実感している。医師から見放されたような病や障害を持った方々でも当道場を訪れ、次々と奇跡的に回復される姿を見るにつけ、これを広く多くの方々に伝え、少しでも苦しみを和らげていただくことも、ひとつの使命であると考えるようになったのである。

今こうして振り返れば、一武道家にすぎなかった私が、王樹金老師のような偉大な武術の大家と出会うことができたことは、誠に幸運なことであり、さらに厳格にも詳細にわたって技を伝授され、王老師への感謝の気持ちは、どれほど言葉を並べても表現し尽くせるものではない。王老師の武術の全伝を伝承された武道家として、そして自分に伝承された技の貴重さを考えると、この技を後世に伝えていく責任の重さに身の引き締まる思いがする。今後も休むことなく一生涯を柔拳の鍛錬に注ぎ、王樹金老師により日本に初めて伝えられた正宗太極拳を正しく伝承普及し、王老師の功績を世の中に広く伝えていきたい。それが貴重な技を伝授して下さった王老師への唯一私にできる恩返しであり、また私の使命だと思っている。

なお、本書の出版に当たっては、中華武術国際誠明総会会長である王福来師兄（兄弟子のこと）の御協力を得て、師兄の演武による太極拳の型の写真を撮らせていただき、大変格式と資料的価値の高い本となった。同師兄のご好意に対し、心より御礼申しあげたい。

地曳 秀峰

目次

◆技術編◆

第五十三勢　並歩進歩搬攔捶《へいほしんぽばんらんすい》
第五十四勢　如封似閉《じょふうじへい》
第五十五勢　十字手《じゅうじて》
第五十六勢　斜摟膝拗歩《ななめろうしつようほ》
第五十七勢　轉身抱虎歸山《てんしんほうこきざん》
第五十八勢　攬雀尾《らんじゃくび》
第五十九勢　斜單鞭《しゃたんべん》
第六十勢　野馬分鬃《のまぶんそう》（三回）
第六十一勢　玉女穿梭《ぎょくじょせんさ》（四隅）
第六十二勢　墊歩攬雀尾《てんぽらんじゃくび》
第六十三勢　單鞭《たんべん》
第六十四勢　雲手《うんしゅ》（五回）
第六十五勢　單鞭《たんべん》

第六十六勢　下勢《かせい》
第六十七勢　左金鷄獨立《ひだりきんけいどくりつ》
第六十八勢　落歩右劈面掌《らくほみぎへきめんしょう》
第六十九勢　右金鷄獨立《みぎきんけいどくりつ》
第七十勢　順歩倒攆猴《じゅんぽとうれんこう》（三回）
第七十一勢　斜飛勢《しゃひせい》
第七十二勢　左右搬攔《さゆうばんらん》
第七十三勢　提手上勢《ていしゅじょうせい》
第七十四勢　白鶴亮翅《はっかくりょうし》
第七十五勢　摟膝拗歩《ろうしつようほ》
第七十六勢　海底針《かいていしん》
第七十七勢　扇通背《せんつうはい》
第七十八勢　翻身撇身捶《ほんしんへいしんすい》

第七十九勢　上歩搬攔捶《じょうほばんらんすい》
第八十勢　上歩攬雀尾《じょうほらんじゃくび》
第八十一勢　單鞭《たんべん》
第八十二勢　雲手《うんしゅ》（三回）
第八十三勢　單鞭《たんべん》
第八十四勢　提腿高探馬《ていたいこうたんま》
第八十五勢　落歩左劈面掌《らくほひだりへきめんしょう》
第八十六勢　轉身單擺脚《てんしんたんはいきゃく》
第八十七勢　上歩指襠捶《じょうほしとうすい》
第八十八勢　上歩攬雀尾《じょうほらんじゃくび》
第八十九勢　單鞭《たんべん》
第九十勢　下勢《かせい》
第九十一勢　上歩七星《じょうほしちせい》

第九十二勢　退歩跨虎《たいほここ》
第九十三勢　轉身左劈面掌《てんしんひだりへきめんしょう》
第九十四勢　雙擺脚《そうはいきゃく》
第九十五勢　彎弓射虎《わんきゅうしゃこ》
第九十六勢　繞歩搬攔捶《ぎょうほばんらんすい》
第九十七勢　如封似閉《じょふうじへい》
第九十八勢　十字手《じゅうじて》
第九十九勢　合太極《ごうたいきょく》

◆資料編◆

＊印は276ページの「太極拳小事典」をご参照ください。

理論編

第一章　太極拳の歴史と武道への発展

第一節　正宗太極拳の成り立ち

一　分派の歴史

太極拳のルーツ

中国大陸には辺境の地にいたるまで数多くの拳法が存在している。その一つが太極拳である。本書で学ぶ太極拳の源流は、唐（六一八～九〇七年）、あるいは宋（九六〇～一二七九年）時代の文献にその名を見ることができる。文献によって諸説はあるが、ある時期に太極拳のルーツと言われる「武当派《ぶとうは》」と、「少林寺」の二大門派《にだいもんぱ》に分かれたとするのが通説のようだ。その分派の時期についても、隋(五八一～六一九年)の時代から唐、宋代にかけてと、意見は分かれている。

太極拳の原型には、*道教の「内気導引《ないきどういん》」の思想が採用されていると言われる。これは体内の「気」を鍛錬し、「還元（元気を回復する）」という境地に達することを目的としたもので、健康法の発想から始まったものだ。

道教の祖である老子《ろうし》は、次のような言葉を残している。

「その心を虚にし、その腹を実《じつ》にし、またすなわち上丹《じょうたん》田《でん》を虚にし、下丹田《げたんでん》を実にしなければならないという意なり」

「神を存し気を納め、尾閭《びろう》中に神を真っ直ぐに頂に貫き、満身軽利にして頭頂に懸かる」

これを簡単に説明すると、心を空にして丹田（へそ下にあり「気」を蓄える場所）に意識を集中させ、背筋を伸ばし、脊柱の真上に頭を立て、全身をリラックスさせることを重視する、というもので、太極拳の思想の根源を言い表している。力を込め、筋力鍛錬を重視する*少林拳とは、明らかに異なる点と言えよう。

拳法界においては、太極拳を「*内家拳《ないかけん》（または*中国柔拳《じゅうけん》）」、少林拳を「*外家拳《がいかけん》（または*中国剛拳《ごうけん》）」と呼んで区別する。これは、太極拳が身体『内部』の「気」の鍛錬を重視するのに対し、少林拳が身体『外部』の筋力の鍛錬を重視することから名付けられたものだという。

また、別の説によれば、仏門に入らなかった者を「内家」、仏門に入って浮世を離れた者を「外家」と呼ぶことから、道教の思想をもととし、少林寺の仏門に入らなかった太極拳を「内家拳」、少林寺の仏門に入って修行した少林拳を「外家拳」と呼んで区別するとも言われている。

図１　太極拳の開祖と言われる張三丰

五大流派への分派

かくして太極拳の技は、道教の修道《しゅうどう》士《し》によって伝え広められ、宋時代の張三丰《ちょうさんぽう》（図１参照）に受け継がれていく。

近年、張三丰否定説もあるようだが、長年、中国文献や言い伝えにより、太極拳の開祖として紹介されてきた。張三丰は、宋時代の人物で、武当山《ぶとうざん》において伝承された技を研究し、修業の末、これを集大成して今日の太極拳の原型を創り上げた。伝説では、張三丰は実に三百七十八歳まで生き続け、道を得て仙人になったと言われる。張三丰によって開かれた太極拳流派を「武当派《ぶとうは》」と呼び、また太極拳が仙人によって伝えられた拳法と言われるのも、こうした伝説によるところが大きいようだ。

そののち山西省《さんせいしょう》の王宗岳《おうそうがく》、河南省《かなんしょう》にある陳家溝《ちんかこう》の陳《ちん》王《おう》廷《てい》（陳家九世）、陳長興《ちんちょうこう》（陳家十四世）へと継承されていく（P19の系図参照）。

そして楊露禅《ようろぜん》（楊家《ようけ》太極拳の祖）が皇宮で太子や王侯に伝授したことにより、貴族階級の間にも浸透し、清朝（一六一六〜一九一二年）末期には、国土全体にその広がりを見せた。

　こうして、太極拳は陳派・楊派・呉派・孫派・武派の五大流派《ごだいりゅうは》に分かれていく。太極拳の原形は陳派によって伝承されてきた。楊派を作った楊露禅が最初に出会った太極拳も陳派のものであり、陳派太極拳発祥の地である陳家溝が近代太極拳発祥の地とされているのも、このような理由による。楊露禅の太極拳は、伝承されていく過程でさらに分派し、呉派・孫派・武派を形成していった（この点については、太極拳を楊家、呉家、孫家の「三大流派」と区分する説もある。本書では、諸説ある中の大勢を占める陳家・楊家・呉家・武家・孫家の「五大流派」という分類方法にのっとって説明を続けることにする）。

　分派された各流派の太極拳には長所短所があり、その中の精髄を集めて統合し、各流派の武術的要素を抽出して最強の太極拳をめざすという動きが起こり始めた。

二　統合の歴史

各流派の技の枠を集めた正宗太極拳

　その最強をめざした太極拳は民国二九年（一九四〇年）、政府団体である*南京中央国術館《ちゅうおうこくじゅつかん》において編成された。編成にあたっては、まず教育部と軍訓部合作の国術教材編集審議委員会が組織された。*王樹金老師《おうじゅきんろうし》（注1）と五大流派の実力者を含む武術界の名士二十人あまりが委員に、専門家十人あまりが編集委員に任じられ、中央国術館の副館長だった陳泮嶺《ちんばんれい》氏（P284参照）が会長となった。時はまさに第二次世界大戦目前、日中戦争は一九三七年に勃発しており、まさに受難の時代である。そのため、武術的に完成度が高く、その鍛練によって質の良い兵力を育てられる太極拳が国をあげてめざされたという。

　すべての流派の太極拳が再検討され、武術的効果の高い部分を抽出する研究がなされた。さらに、この太極拳編成のもう一つの目的は、王宗岳《おうそうがく》が陳家溝に伝えた太極拳の原理に戻そうということでもあった。

　そうして国をあげての大がかりな作業の末、ようやく生み出されたのが、本書で紹介する、正宗《せいそう》太極拳である。各流派の技の枠を集めた正宗太極拳は、その編成目的を考えれば、まさに歴史が生んだ太極拳と言っても過言ではないだろう。

　この正宗太極拳誕生の歴史は、著者の師である王樹金

正宗太極拳 成立の経路

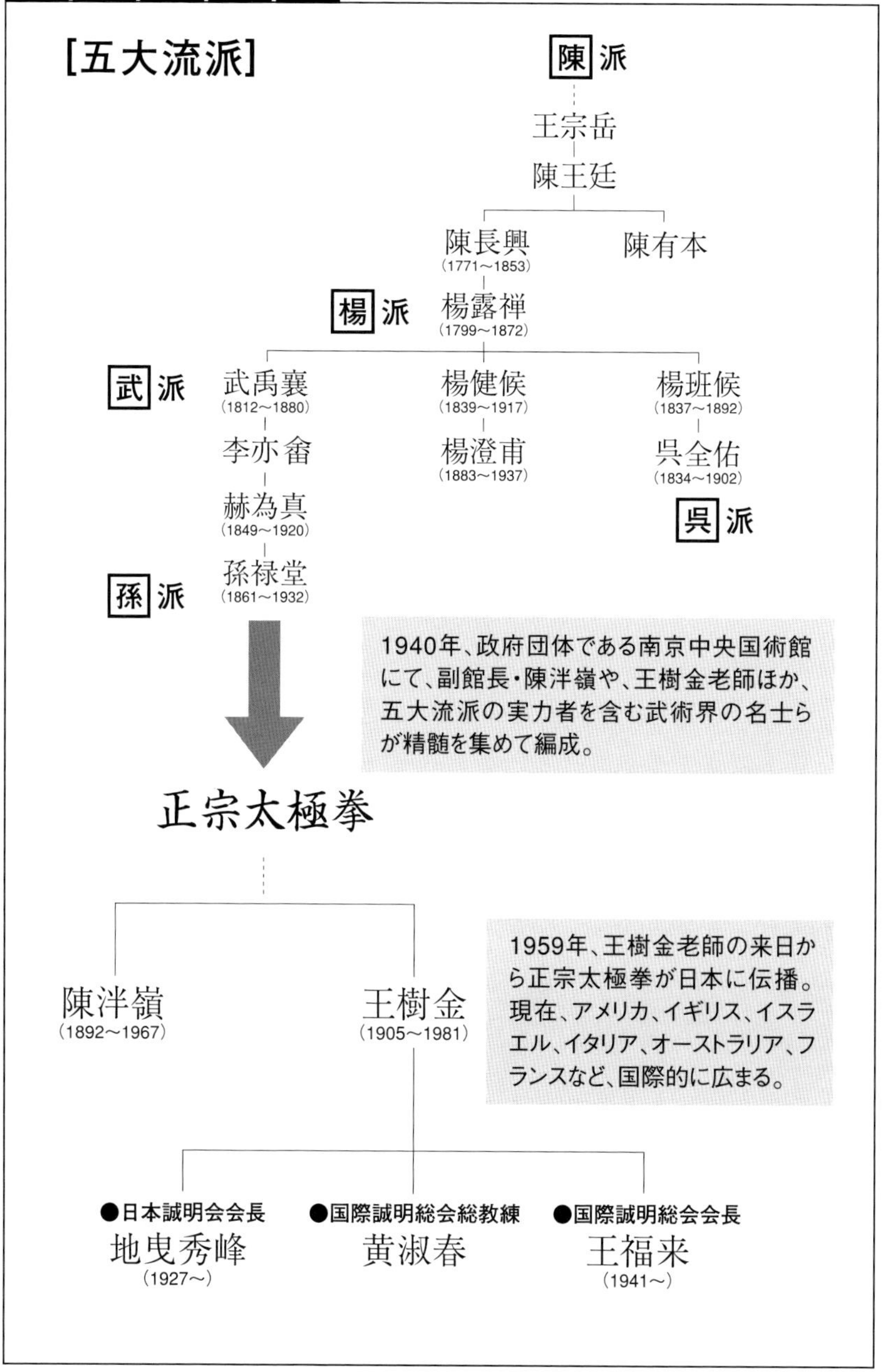
[五大流派]
陳派
王宗岳
陳王廷
陳長興
(1771〜1853)
陳有本
楊派
楊露禅
(1799〜1872)
武派
武禹襄
(1812〜1880)
楊健候
(1839〜1917)
楊班候
(1837〜1892)
李亦畬
楊澄甫
(1883〜1937)
呉全佑
(1834〜1902)
呉派
赫為真
(1849〜1920)
孫派
孫禄堂
(1861〜1932)
1940年、政府団体である南京中央国術館にて、副館長・陳泮嶺や、王樹金老師ほか、五大流派の実力者を含む武術界の名士らが精髄を集めて編成。
正宗太極拳
陳泮嶺
(1892〜1967)
王樹金
(1905〜1981)
1959年、王樹金老師の来日から正宗太極拳が日本に伝播。現在、アメリカ、イギリス、イスラエル、イタリア、オーストラリア、フランスなど、国際的に広まる。
●日本誠明会会長
地曳秀峰
(1927〜)
●国際誠明総会総教練
黄淑春
●国際誠明総会会長
王福来
(1941〜)

老師から口伝で遺されたものである。しかし、この太極拳が作られた目的の特殊性のためであろうか、あるいは当時の不安定な時代を考慮した上でのことなのだろうか、老師がこの事実を文章に遺すことはなかった。本書に公表するに至ったのは、後世のためにも、正宗太極拳の歴史的事実をできるだけ正確に語り継いでおかねばならないと考えたからである。

　その後、国民党政府の台湾への移動にともない、王樹金老師や陳泮嶺氏も渡台した。王老師は誠明会《せいめいかい》を、陳氏は九十九健身会を発足し、正宗太極拳は台湾の地に広く普及した。二人は兄弟弟子の関係にあり、また、ともに正宗太極拳の編成に参画していたので渡台後もさらなる研究を重ねている。その一方、大陸においてもこの正宗太極拳が伝承されている事実が確認されており、この太極拳が一部の人に言われている様な台湾で編成されたものではないことが証明されている。

　その後、王老師は*形意拳《けいいけん》や*八卦掌《はっけしょう》をさらに加味し、よりその威力を高めた。日本に初めて正式に伝来した太極拳は、王樹金老師によって伝えられたこの正宗太極拳である。一九五九年に王樹金老師が来日されたことにより、中国武術の一つとして日本に紹介された。私たち日本人はその王樹金老師の計り知れない強さと、太極拳の優美な動きに東洋の神秘を感じたものである（【資料編】第一章参照）。正宗太極拳は武術的強さを求めて編成されたが、結果的には健康的効果にも大変優れているということが証明されてきた（付録の正宗太極拳の諸効果参照）。現在、正宗太極拳は、名称が異なっている場合もあるが、全国各地に根付いており、多くの団体で行われている。

（注1）王樹金老師は、太極拳と同じ内家拳である形意拳や八卦掌の専門家として参画されていたものと思われる。

第二節　太極拳による「護身」の論理

一　外なる敵から身を護《まも》る武道

太極拳の護身術

最近は動機の定かではない通り魔事件や青少年による犯罪が後を絶たない。二〇〇八年に東京・秋葉原で起きた無差別殺人事件もそうだが、かって「オヤジ狩り」などと称して、少年グループが裕福そうな中高年を襲い、金品をまきあげるという事件が多発したように、私たちは、無関係な他者から受ける暴行・殺人の危険にさらされている。

つまり、「自分だけは例外」などということはない。もし暴漢に襲われたら、その場にいつも助けてくれる誰かがいるとは限らない。むしろ暴漢は、周囲に助けを求められない状態を確かめてから襲うのが常である。ターゲットは、力が弱く簡単に襲える女性や高齢者が多い。要するに弱者こそが暴漢の格好の標的となるのである。

弱者にとって、相手がプロレスラーのような体格の乱暴者であったらひとたまりもない。太極拳の護身術とは、こうした弱者のためにも役に立つ「身を護る技術」なのである。それは、太極拳が中国で古来より護身術として伝えられてきた歴史的背景に由来する。

太極拳は中国有産階級の武芸だった

中国柔拳《じゅうけん》の練達者、名人とうたわれた拳法家は、その多くが宮廷貴族や豪商などの有産階級に属している。形《けい》意拳《いけん》の大家である＊劉奇蘭《りゅうきらん》は裕福な商家の主人であったし、八卦掌《はっけしょう》の名人＊董海川《とうかいせん》も清朝皇帝咸豊帝《かんぽうてい》に仕えた武芸家である。

太極拳も、清朝皇族に尊ばれた拳法であった。楊家《ようけ》太極拳の開祖《かいそ》楊露禅《ようろぜん》は、宮廷武術教師として活躍した武芸家で、皇族子弟や宮廷の護衛もする近衛兵《このえへい》を弟子とした。また北京に出て活躍した時代にも、北京の豪商たちの後援を得て太極拳を広めている。

豪商たちが太極拳の武芸家を招くときは、高額の教授料を支払うとともに敷地内に武芸家が滞在する家を新築して迎えたという。楊露禅の孫《まご》である*楊澄甫《ようとうほ》が北京から香港に移り住んだとき、香港の有産階級の人々は金の延べ棒を積んで教えを請うたと言われるほどである。

このように、中国有産階級は武芸をたしなみとし、一流武芸家を尊び後援育成する気風を持っていた。彼らは肉体労働に従事しなかったので、少林拳のように筋力を必要とする拳法は向かない。そのため、自分や家族の身と財産を護るためには、たとえ屈強な暴漢相手でも圧倒できる太極拳の技術こそ必要としたのである。また、健康維持や病気治療に多大な効果のある太極拳は、彼らにとって武術以上の価値があったとも言える。

現在では、誰でも習うことができる伝統の太極拳であるが、時代が違えば、ごく一部の限られた、ある身分の者しか決して習うことはできないものだったのである。

もともと興亡の繰り返された中国史においては、知識人や貴族階級の間に武芸が普及した。かつては*儒教の祖と言われる孔子も、君子《くんし》の技芸《ぎげい》として、「礼・楽・射《しゃ》・御《ぎょ》・書・数」の六芸を教養とした。このうち「射」とは弓術《きゅうじゅつ》であり、「御」は戦車操縦術をいうが、孔子は両方の名手であったと伝えられる。

孔子は弟子とともに各地で教えを説いたが、この時代は小国乱立の戦国時代であり、道中で盗賊匪賊《とうぞくひぞく》の襲撃が予想され、命がけであった。そのため、思想を説くにも、護身術としての武芸が不可欠だったのである。

時代を経て、清代においては、筋力を必要としない太極拳などの中国柔拳が、「射・御」に相当する武芸《ぶげい》となった。また、知識階級の間にこの拳法が広まっていったのは、*陰陽五行《いんようごぎょう》思想の哲学を根底に持つ内家拳を理解する上で、知力も必要とされたためであろう。

コラム1

太極拳は気功法の一種

「気」は、一定の法則の中で循環する。「意のあるところ気あり」と言われているが、「意」とは、意識であり意志である。気を活動させるため、意識的に姿勢を正し、腹式呼吸をゆっくりと行うだけで、気の流れは活発になっていく。さらに、手、肘、腰、膝など、身体の各部位に気を流し込もうと意識すれば、気はその部分に向かって流れ出す。

気功法は、この性質を活用した養生法である。また、太極拳も動く気功法とも言える。その型も、全身の気の流れを高めようとする意の表れとして構成されており、型の意に導かれて気は活発に流れていく。と同時に、太極拳のゆったりとした動きは、自然な腹式呼吸を可能にし、精神を鎮静化させていく。こうして、太極拳は心身の総合バランスを整えていくのである。

気の流れが活発化し、精神が鎮静化されると、勉強や仕事における集中力が向上する。特に受験生や創作活動・研究開発などの仕事に携わっている方々にとって、太極拳のリラクゼーション機能は効果的であろう。

さらに、太極拳の鎮静作用は、人間の潜在能力である第六感を開発するとも言われている。王樹金老《おうじゅきんろう》師《し》は、目を閉じていても空手家の一撃を眼前でよけてしまうほどの感覚を持っていたという。かつて日本にも、盲目でありながら敵の攻撃を交わした剣豪がいたが、太極拳も同様に、修練を積むほど相手の攻撃する気配を察知する能力が養われる。街中で見ず知らずの人間が他人に危害を加える通り魔的事件は跡を絶たないが、攻撃を加えてくる人間には、必ず危険な気配が感じられるものだ。そうした気配を事前に察知し、危険な人間から距離を置くという心得も、太極拳によって養われる護身の重要な技術なのである。

二　内なる病魔から身を護《まも》る中国養生法

人間の自然治癒力を高める

太極拳の護身は、単に外敵の攻撃から身を護《まも》るだけではない。人間の寿命に影響する病魔から「身を護る」ことも、太極拳の重要な効用の一つなのである。

そこで、太極拳と気の関係が重要になってくる。これは、「人間の体内には生体エネルギーである気が流れており、その気の流れのバランスが崩れたときに病気になる」という中国医学の考え方に通じる。

中国医学には「未病《みびょう》」という言葉がある。発病する前段階で、何となくけだるい、悪寒がするなど、病気とは言えないが元気とも言い難いような状態である。こんなときは精神的にも落ち着かずイライラしたり、気分が落ち込んだりして、さらに病魔に蝕まれやすい身体状態となる。

この未病の状態は、身体を構成する「気・血・水」それぞれのバランスに異常を来した兆候と考えられている。中国医学では、この段階から治療が始まる。未病の段階で施薬や鍼灸、指圧などを施して対処すれば、身体はバランスを取り戻して大事にいたらずにすむということである。

こうした治療法を「養生」と呼ぶが、太極拳も、こうした中国養生法の知恵に基づく健康法から生まれた拳法である。気の質とバランスをコントロールして正常な状態に戻し、人間が生来持っている自然治癒力を高めて病気から身を護るのである。

中国医学特有の身体観に基づいたこの太極拳の効果を、次にもう少し詳しく紹介する。

中国医学の人体像

中国医学の根底には、気の哲学である「陰陽五行説《いんようごぎょうせつ》」の思想が流れている。世界を構成する気が、陰と陽の性質に分かれているとするのが陰陽説、さらに世界は「木・火・土・金・水」の「五行」の性質によって構成され、それぞれの性質が互いに働き合って万物が成り立っていると考えるのが五行説だ。

人体に関して言えば、「気・血・水（血液以外の体液）」で生命活動のバランスが保たれているが、血・水は陰に

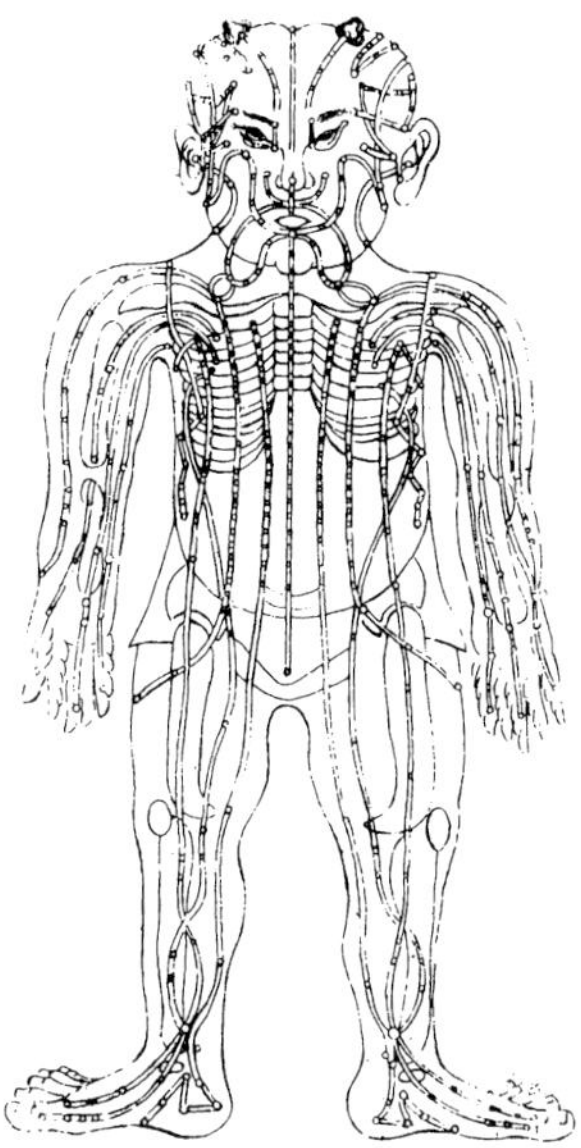

「中国医学軌範」より経絡の図

属し、陽である気は血や水に働きかけて活動する。一方、五行は、五臓（肝・心・脾・肺・腎の臓器）に対応しており、気は、この五臓に六腑（胆・小腸・胃・大腸・膀胱・三焦）を加えた「五臓六腑《ごぞうろっぷ》」を活動させている。

気がこれらの身体機能に影響を及ぼす秘密は、気の通り道である「*経絡《けいらく》」に関係がある。血液が血管によって運ばれるように、気は経絡によって運ばれる。この経絡系は全身に広がり、気を体の隅々まで行き渡らせている。

経絡系の上には「気穴」と呼ばれる三百六十一個の気のポイント（＝ツボ）があり、鍼灸や指圧術などのツボ療法はこれに刺激を与えて気の流れを是正する。

太極拳の動作は、この経絡の流れに沿う型を連続して行い、全身に気を巡らせ、体内のさまざまな経絡系を活性化させることになる。それは、あたかも全身のツボが適度なマッサージを受けたような効果があり、それにつれて血液循環が良くなり体が温まる。冷え性に悩む女性に太極拳の効果が高いのはこのためである。

また、大病をした後の体力回復にも、太極拳は大いに効果を発揮する。循環機能が改善され、滋養が体内に行き渡り、自然治癒力が高まるからである。

コラム2

仙人の養生法「導引術」

古来より不老長寿に憧れてきた中国人の理想としてきたものが、神仙（仙人）である。道教においては、養生法と言えば仙人になるための修業法をさした。生命の基礎である「気」をコントロールできれば、命のコントロールが可能となり、不老不死の身体が得られると考えたのである。

養生法には、食事法・薬法・瞑想《めいそう》法・呼吸法・体操法など、さまざまなものがあった。「導引術」はこの中の体操法の一種であり、太極拳の源流もここにある。導引術の思想では、体内の気の流れをスムースにさせることにより、身体に本来備わっている自然治癒力が向上する。病は気が散漫になったり、その流れが滞ったときに引き起こされるため、体内に気が満ちていれば病も避けられるという考え方だ。

古代中国人は、病気になったりケガをした場合も、気のバランスが整っていれば、気のエネルギー効果で自然に治癒されると考えていた。また、同時に、気は若さの源でもあり、気が充実していれば、精神的に老いることがないとも考えていた。

鹿形　熊形　虎形

獣の動作をまねた五禽戯《ごきんぎ》と呼ばれる導引術より

非力な人や女性・高齢者にも習得可能な拳法

太極拳の鍛練は、力を抜き、ゆったりした動きで行うため、むやみに体力を消耗することがない。力が抜けて「気」を出しやすい体質になるまで（つまり、太極拳の体質に身体が変化するまで）少々時間がかかるが、体質が変わった後には、逆に練習で身体を動かすことによって疲労感から解放され、元気を取り戻せるようになる。

力を抜くことに終始するため、非力な女性や高齢者でも武術鍛練ができることが、太極拳の大きな特徴である。

太極拳を行うことに年齢・性別・体格のハンディはない。むしろ筋力のない女性や高齢者は、力に頼ることがないぶん、筋力の旺盛な青壮年の男性より太極拳への適性が高いと言えるくらいである。

「柔よく剛を制す」という言葉があるが、太極拳はまさにこの言葉を実践する武道の真髄と言える。高齢者でも技量が衰えず、女性でも強さを発揮できる武道が、太極拳なのである。

黄淑春《こうしゅくしゅん》老師による太極拳

第三節　太極拳と「気」

一　柔拳《じゅうけん》と剛拳《ごうけん》

筋力の拳法「剛拳」

前述のとおり、拳法には、「柔拳《じゅうけん》」と「剛拳《ごうけん》」という二つの大きな系統がある。

剛拳とは、空手や少林拳のように筋力を鍛えて闘う攻撃主体の拳法である。一方の柔拳は、「気」を力の根源とする。気とは、人間を生かすエネルギーのことであり、太極拳はこの柔拳の代表的拳法の一つである。

柔拳の基本は護身術であり、相手の力を利用して攻撃に転じる。また、自ら攻撃するときは、気を集中して発射する「*発勁《はっけい》」を用いる。剛拳が骨折や外傷といった外面的な損傷を与えるのに対し、柔拳の発勁は相手の身体のツボ（*点穴《てんけつ》）を狙い、内部の内臓にまでダメージを与えるのが特徴だ。

わかりやすく説明すると、中国医学でツボを押すと、

剛《ごう》　拳《けん》	柔《じゅう》　拳《けん》
筋力を使う ↓ 骨折・外傷	気を使う（発勁） ↓ 内臓へのダメージ

少林拳	太極拳・形意拳・八卦掌

気の拳法「柔拳《じゅうけん》」と筋力の拳法「剛拳《ごうけん》」の違い

そのツボにつながる内臓の機能が回復したり、肩こりがとれたりするが、逆にそのツボを攻撃することで内臓機能にダメージを与えてしまうのである。このように、気の力を武道に用いるという発想も道教の考えから生まれたものだ。

もともと中国拳法は宗教や思想と密接に関連している。剛拳は外家拳《がいかけん》に相当し、仏教の思想に基づく拳法である。少林拳系統の北拳・南拳、また読者の多くもご覧になっていることと思うが、カンフー映画などに出てくるような拳法も少林拳系統のものがほとんどである。

気の拳法「柔拳」

一方、柔拳は内家拳《ないかけん》にあたり、内家拳は儒教や道教といった中国古来の哲学思想に基づく拳法である。太極拳のほか、形意拳《けいいけん》、八卦掌《はっけしょう》がこれにあたる。

鍛練によって強い気を出せる身体作りに集中するため、筋力を鍛える剛拳とは逆に、筋肉や関節が柔軟となる身体作りをめざす。そのため、柔拳（太極拳や形意拳、八卦掌）の修練を積むためには、「筋力を鍛えれば強くなる」という従来の発想を一八〇度変えなければならない。

柔拳を鍛練する際の最初の関門となるのが、「力を抜く」ということだ。初心者のみならず、ある程度レベルの向上した上級者でも、思わず力が入ってしまうことはよくある。

そのため柔拳の場合は、気功法などで筋肉の緊張を解く練習も行う。【技術編】で紹介する*抜筋骨《ばっきんこつ》と*大成《たいせい》気功《きこう》は、強い気を出す練習であると同時に、筋肉の緊張を解きほぐす効果を持つ。また、太極拳そのものも、型をゆっくりと緩やかな動きで行うことで、柔拳の基礎訓練として「力を抜く」という役割を十分果たしてくれる。

さらに本書が紹介する正宗《せいそう》太極拳は、同じ柔拳の形意拳や、中国柔拳の最高峰と言われる八卦掌の基礎にもなっている。次項では、こうした正宗太極拳の技の威力と、形意拳、八卦掌との関連性について解説しよう。

二　太極拳の威力の源

「気」を充満させ、気の鎧《よろい》を作る

太極拳の威力はその発勁《はっけい》力にあり、発勁された気が強ければ強いほど威力を増す。

さらに気の力は、相手の攻撃から身体を護る効果も発揮する。わが国に初めて太極拳を伝えた王樹金老師《おうじゅきんろうし》は、これを「気の鎧《よろい》」という表現で説明している。

鎧という意味では、全身の筋肉を厚く硬く鍛える剛拳《ごうけん》の身体こそ鎧に近い印象を受けるだろう。しかし中国柔拳《じゅうけん》の武術家の身体は、外見からではどこが鍛え上げられているのかわからない。太極拳の開祖《かいそ》とも言われている張三丰《ちょうさんぽう》も、その絵姿（P17参照）を見ると、およそ映画の拳法家のヒーローとはほど遠い印象だ。

張三丰が太極拳をする姿は「前から見ると鶴の如く、後から見ると亀の如し」と言われたが、その瓢々《ひょうひょう》とした姿からは武術家然とした気迫を感じさせない。つまり気の鎧の正体は、身体の内部にあるのだ（注1）。

このことについて、王樹金老師は次のように語られている。

「中国武術にはさまざまな種類がある。車にたとえて言えば、タクシーのように素早く鋭い動きのものが強いと信じる者もいる。しかし、中国柔拳をたとえて言うなら、まさにそれは戦車である。もし、全身を気の鎧で覆《おお》っている戦車にタクシーがぶつかっていけば、自滅を招くだけだろう」

柔拳の筋肉の質を「鬆《そん》」という。鬆とは、一般的にリラックスした心身の状態をさすが、中国柔拳で言う鬆の意味は、「ゴムまり」のようなものと考えていただければいい。

鬆の筋肉は、ちょうど気を通す管《くだ》のようになっており、全身の筋肉が気のエネルギーを巡らせる役割を果たすので、身体全体に気が満ち、どの部分もゴムまりのような弾力性を持つ。そのため、身体のどの部分に対して加えられた力も弾き返してしまうのである。

気が満ちた身体は、酒の入った徳利と同じで、中に酒が入っているかどうかは、外から見ただけでは判別できない。同様に、気に満ちた鬆の身体も、触れてみなければわからない。

たとえば鬆に満ちた相手と腕を合わせると、その腕の重さに驚くはずだ。ホースに水が満ちると重くなるように、鬆の筋肉が気で満たされた腕はズッシリと重みを増すのである。

のちに解説するが、中国柔拳の鍛練では、太極拳を習得した後に、形意拳《けいいけん》、八卦掌《はっけしょう》とその段階をあげていくことになる。その際にポイントとなるのが、この鬆の体質

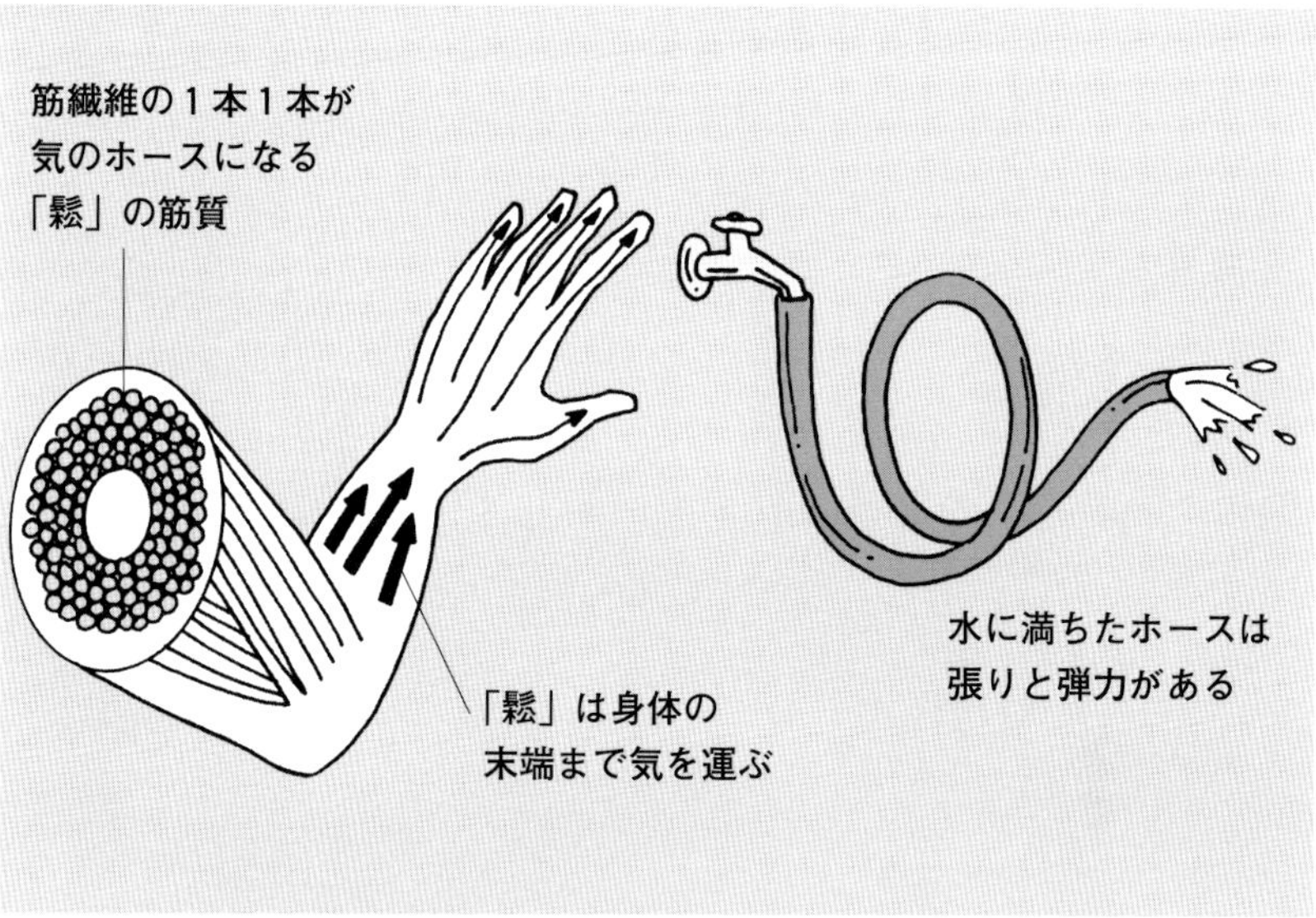
筋繊維の１本１本が
気のホースになる
「鬆」の筋質
「鬆」は身体の
末端まで気を運ぶ
水に満ちたホースは
張りと弾力がある

柔拳の筋肉の質は気を通すホースのようになっている

を鍛えあげることなのである。

（注1）王樹金老師は、ボクシング世界ヘビー級チャンピオンのジャック・デンプシーやジョー・ルイスに腹をたたかせて微動だにしなかったことで勇名を馳せられたが、老師の全身はまさに「気の鎧」で覆われていたと言えるだろう。

発《はっ》勁《けい》の威力

身体を護る「気」の威力として「鬆《そん》」ということを述べたが、攻撃面で気を用いる技術が「発勁《はっけい》」である。

発勁は、その七〇％が水分と言われる人間の身体を攻撃する際に威力を発揮する。たとえば、硬いレンガやブロックを打ち砕く場合であれば、同じく硬質で重いもの（たとえばハンマー）のほうが有効だが、水が入った皮袋（注2）のような人間の身体にダメージを与えるには、必ずしもハンマーは有効とは言えない。逆に柔らかい皮袋はハンマーの力を吸い取り、その破壊力を分散させてしまうからだ。

しかし、発勁によって相手の身体に打ち込まれた気のエネルギーは、「水を入れた皮袋」である身体内部に向かい、衝撃は水面に投げ込んだ石のように広く深く連鎖反

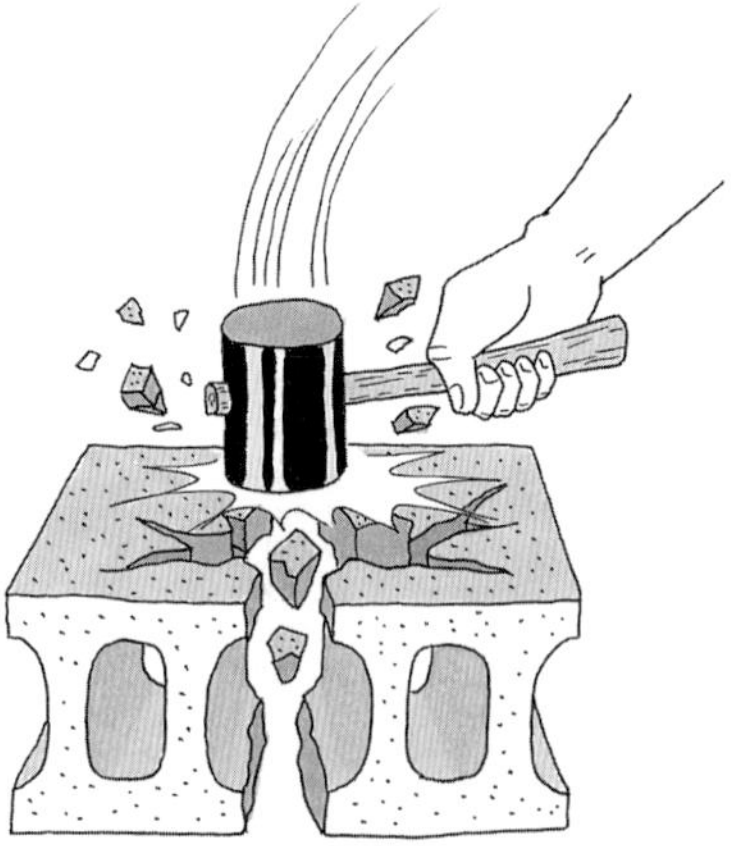
硬質なものに対する衝撃

液体状の内容物に対する衝撃

ハンマーによる攻撃は、硬質なものには大変有効だが、柔らかい皮袋にはその力が分散してしまう。

応して影響を与える。剛拳《ごうけん》の攻撃がハンマーのように身体の外部にダメージを与えるのに対し、柔拳《じゅうけん》の攻撃は身体の内部に直接ダメージを与えるのである。

そのため、柔拳によって受けたダメージは、外科手術などで治療することはできない。中国医学の知識と気の原理を知る専門家でなければ、治療が難しいのである（注3）。

（注2）中国医学では「気・血・水」の三要素が身体の大半を構成していると考え、これらの流動体の滞りを正すことを医療の原点としている。身体は「水を入れた皮袋」と言えるだろう。これは、骨格とそれを取り巻く筋肉組織の中に、循環器と各臓器が内包されているといった西洋医学的身体観と見解を異にするところだ。

（注3）王樹金老師は挑戦者があるたびに、気功治療を得意とした兄弟弟子の張峻峰《ちょうしゅんぽう》老師をともなって対戦に臨んでおられた。

三　形意拳・八卦掌と正宗太極拳の関連性

秘伝の技を加味し、発勁力《はっけいりょく》を高める

形意拳《けいいけん》と八卦掌《はっけしょう》は中国柔拳《じゅうけん》（内家拳《ないかけん》）の中でも秘伝・奥義と位置づけられるものである。

著者の属する武術流派は、形意拳、八卦掌など内家拳の多くの名人を輩出してきた「＊終南門派《しゅうなんもんぱ》」である。この終南門派の名は、西安の近くにそびえる霊峰・終南山に由来する。中国には古来より霊場として栄えた数々の名山があって、道教の隠士《いんし》（仙人）はこれらの霊場で修業をしていた。内家拳は彼らの修業法の一つである導引術を基礎として生まれ、彼ら隠士たちによって伝承されてきた。

終南門派では太極拳を習得した者が、レベルをあげてから形意拳、さらに八卦掌の拳法の修練に入るのが一般的なプロセスである。まず太極拳の練習を通じて力を抜いて「気」の流れを良くし、中国柔拳全般の動きに精通する基礎を学び、形意拳では、太極拳で培った勁力と発

王樹金老師の太極拳の基本的な立ち方（左）と形意拳の立ち方（右）

勁力をさらに高め、八卦掌で気のエネルギーを用いた緻密な戦い方を身につける。

前述のとおり、本書で紹介する正宗《せいそう》太極拳には、王樹《おうじゅ》金老師《きんろうし》により威力をさらに高めるよう、これら形意拳・八卦掌の技が加味されている。そのため、発勁力はさらに高まり、気の鎧を作るのに大変有効な働きをする。さらに形意拳や八卦掌によって高められた気の効果は、さらなる健康増進にも寄与している。

では具体的にどのようなところに表れているか見てみよう。まず、正宗太極拳の立ち方は特徴的であるが、これは、形意拳の足の構えそのものであり、中定歩《ちゅうていほ》と呼ばれる形である（前ページ写真参照）。この立ち方をすることにより、後ろ足からの発勁がしやすくなり、より発勁力を高めている。また、形意拳や八卦掌の形がそのまま採り入れられてもいる。第二十一勢の「斜飛勢《しゃひせい》」、第四十四勢の「打虎勢《だこせい》」などが、その一例である（次ページの写真参照）。また八卦掌の技の知恵は、正宗太極拳の技の随所にその影響を与えている。

ここで形意拳と八卦掌という拳法について説明しておこう。

仙人によって伝承された武術―形意拳《けいいけん》―

形意拳《けいいけん》の開祖は南宋時代（一一二七～一二七九）の勇将*岳飛《がくひ》と言われており、明代（一三六八～一六四四）の武将・姫隆豊《きりゅうほう》が中興の祖としてこの拳法を体系化し、広く普及させた。姫隆豊は拳技と大槍術に長けていたが、終南山《しゅうなんざん》の仙人（道教の隠士）に行き合い、岳飛の秘伝「王拳経」を学んだ。この中には、「五行・連環・龍・虎・鷹・蛇・熊・燕・鶏・馬・猴」などの形が伝えられていた。それぞれ動物をかたどっていたので、「形意拳」と命名したことがそもそもの由来と言われている。

金仁明著『図解形意母拳』によると、形意拳は姫隆豊以後、弟子の活動によって分派している。著者の学んだ形意拳は、保守派と言われる系統で、李洛能《りらくのう》―劉奇蘭《りゅうきらん》―*張兆東《ちょうちょうとう》―王樹金《おうじゅきん》という系統で伝承されている。なお、形意拳の原理は、気の哲学＝陰陽五行思想が根本となっており、霊山の仙人が守ってきた伝承の軌跡をそこに垣間見ることができる。

太極拳の斜飛勢の型（左）と形意拳の蛇の型（右）

太極拳の打虎勢《だこせい》の型（左）と形意拳の炮拳《ほうけん》の型（右）

変幻自在な神秘の拳法―八卦掌《はっけしょう》―

八卦掌《はっけしょう》も隠士《いんし》（仙人）の修業法の中から編み出された拳法と言われている。秘法として口伝されていたらしく、その発祥や古来の伝承の記録は未だ発見されていないようである。歴史の表舞台に八卦掌が登場し、伝承の軌跡が見えるようになるのは、清朝末の偉大な武術家・董海《とうかい》川《せん》以後のことである。

八卦掌の練習方法は、直径二メートル四〇センチほど（修業者の体格によって少々の違いはあるが）の円周を巡りながら、中心および円周の外に敵を想定して次々と自在に技を繰り出すものである。円は宇宙を表し、その円周上に「八卦」の八つのポイントを置いて各ポイントで前後左右の敵から身を守り、攻撃を加える。円運動を基本とした身体が描くスパイラル（らせん）を用いて、敵の攻撃を吸収、あるいは跳ね飛ばし、「気」のエネルギーを用いた技を繰り出す。それはあたかも四方八方に機銃掃射するがごとくである。

正宗《せいそう》太極拳には、こうした形意拳《けいいけん》・八卦掌という中国柔拳《じゅうけん》の傑出した要素が盛り込まれることで、一般の太極拳には見られないものが加味されているのである。私たちの流派では八卦掌は最高峰の奥儀に位置づけられており、当連盟でも三段以上となってからその門は開かれている。

八卦掌の修練は、熟達の度合いに応じて、八卦《はっけ》連環《れんかん》掌《しょう》・八卦《はっけ》遊身掌《ゆうしんしょう》・八卦《はっけ》変幻掌《へんげんしょう》・八卦《はっけ》六十四掌《ろくじゅうよんしょう》などへと発展していく。また、武器を用いた、八卦《はっけ》双剣《そうけん》・八卦《はっけ》棍《こん》・八卦《はっけ》陰陽鉞《いんようえつ》その他などがある。

「八卦」という言葉を聞くと、多くの読者は易学の八卦占いを想起されることだろう。基本的には、八卦掌の八卦は易学の八卦と同じものである。中国の宇宙観では陰陽の太極が流転し、そのエネルギーが凝り固まり万物生成へとつながると発想する。この陰陽は五行を生み出すという宇宙観のほかに、陰陽に分化した太極は細胞分裂していくようにさらに分化し、万物を分類できるという八卦の発想がある。

昨今、中国気学である「*風水」が注目を浴びブームとなっているが、自然界の森羅万象は陰陽五行と八卦によって分析できるとするのが風水である。したがって、気学がとらえる宇宙エネルギーを拳法のエネルギーへと利用するのが、この八卦掌の特徴と言えるだろう。

八卦掌の図

王樹金老師著作の八卦連環掌（左）と八卦遊身掌の本（右）。
その中に記載されている八卦掌の図（上）

達人たちのエピソード・劉奇蘭《りゅうきらん》

少林拳の達人として名高かった若き日の張兆東《ちょうちょうとう》は、我が武名を高めんと都を目指した。

道すがら宿場ごとの各地の道場で腕試しをしながら、その意気揚々と皇都北京《ペキン》に向かう連戦連勝の張は、ついに北京を目前にし、名立たる武門がひしめく天津《てんしん》に辿り着いた。ここには、当地随一といわれる形意拳《けいいけん》の達人・劉奇蘭《りゅうきらん》がいる。例のごとく、一手所望と挑戦した。

ところは、劉奇蘭の邸内にある練武場。闘志をみなぎらせた張は、悠然と立つ劉奇蘭と対峙した。劉奇蘭は練武場の窓を指さし、落ち着きはらってこういった。

「向こうの窓から落ちないように気をつけてかかってこい」

「なにを馬鹿なっ」

張は猛然と打ちかかった。次の瞬間、何が起こったかさえ理解できないまま突き飛ばされ、劉の予告通り窓から外に飛び出しそうになった。納得のいかない張は、「もう一手」と再び立会を求めた。

「今度は、こっちの窓から落ちないように気をつけなさい」

劉は穏和な笑みさえ浮かべて、さっきと反対の窓を指さした。

憤然と襲いかかる張。ところが、またしても呆気なく突き飛ばされ、窓から半身を乗り出してしまった。劉のあまりの強さに驚愕した張は、その場で跪《ひざまず》き「弟子にして下さい」と教えを請うたという。こうして張は終南門《しゅうなんもん》派《ば》の武芸と出会い、形意拳の修業に一身を投じることになった。修業を続ける中で、形意拳の力の使い方が少林拳とはまったく違うことに気付き、少林拳もきっぱりと捨てた。そして後年、劉奇蘭門下有数の高弟となったのである。

技術編

第一章　太極拳の用法

第一節　気功の鍛錬

一　大成気功《たいせいきこう》　～身体を芯から強くする気功術の奥義

気功は、「生命エネルギー＝気」の循環を高め、「気」の質をレベルアップさせるための鍛錬法である。太極拳を行う前に気功をすることにより、気の流れが良くなり、太極拳の効果をさらに高めることが期待できる。気功を行うことを「*站椿《たんしょう》」とも言うが、心身のバランスが強化され、自然に五臓六腑が鍛えられていく。と同時に、自然治癒力が増大するのである。

ここで紹介する「大成気功《たいせいきこう》」は、*王薌斎《おうこうさい》先師によって、中国医学・運動生理学を考慮してまとめられた効果の高い練功法（体内の気を鍛えることを「気を練る」つまり「練功」という）である。王樹金老師《おうじゅきんろうし》に伝授され、現在、終南門派《しゅうなんもんぱ》の根幹となる気功法になっている。

気功は別名、「立禅《りつぜん》」（立って行う禅）と呼ばれるが、座禅と同じく、次の三つの原則を基本とする。

調息《ちょうそく》＝腹式呼吸をゆっくり行い、呼吸を整えること。
調身《ちょうしん》＝姿勢を整え、正しい姿勢を保つこと。
調心《ちょうしん》＝雑念を払い無我になること。

特に大成気功の鍛錬では、三原則の中の「調身」が最も重視される。【理論編】で説明したように、身体の微妙な角度によって気の流れは左右される。たとえば、手の位置が高すぎても低すぎても気の流れは不自然なものとなり、身体に微妙な影響を及ぼしてくる。

そのため、くれぐれも自己流の型など作って練習しないようにしていただきたい。実際に自己流の型を行ったために、かえって体調を崩し、道場に気功治療を求めて駆け込んできた人もいた（気功で崩した体調は西洋医学では治りにくく、気功治療を必要とするからである）。

大切なことは、指導者の諸注意を守り、正しい型で練習することである。できれば、鏡や窓ガラスなどに映る自分の姿と写真とをよく見比べて、まず正確な型を作ることを心がけると良い。指導者の型を指先から膝の角度まで細かく模倣して鍛錬を積めば、それだけ早く強い気が出てくる。

ここでは四種類の気功法を紹介する。同じ姿勢を維持するので、初めのうちはつらいかもしれないが、無理をせず、身体が耐えられる程度までやってみる。一つの型で三分程度、慣れてきたら時間を徐々に長くしていくと良い。

動作解説

その一

足を肩の幅に広げて立つ。腰を落とし、膝頭《ひざがしら》とつま先の位置を合わせるようにする。あごを引き、脊柱《せきちゅう》に対しまっすぐにし、その上に頭が来るよう姿勢を正す。両手は広げ、緊張しないよう心がけ、ゆったりとそのまま数分間保つ（1）。最初のうちは気を感じなくても、続けていくうちに気の感覚をつかめるようになる。

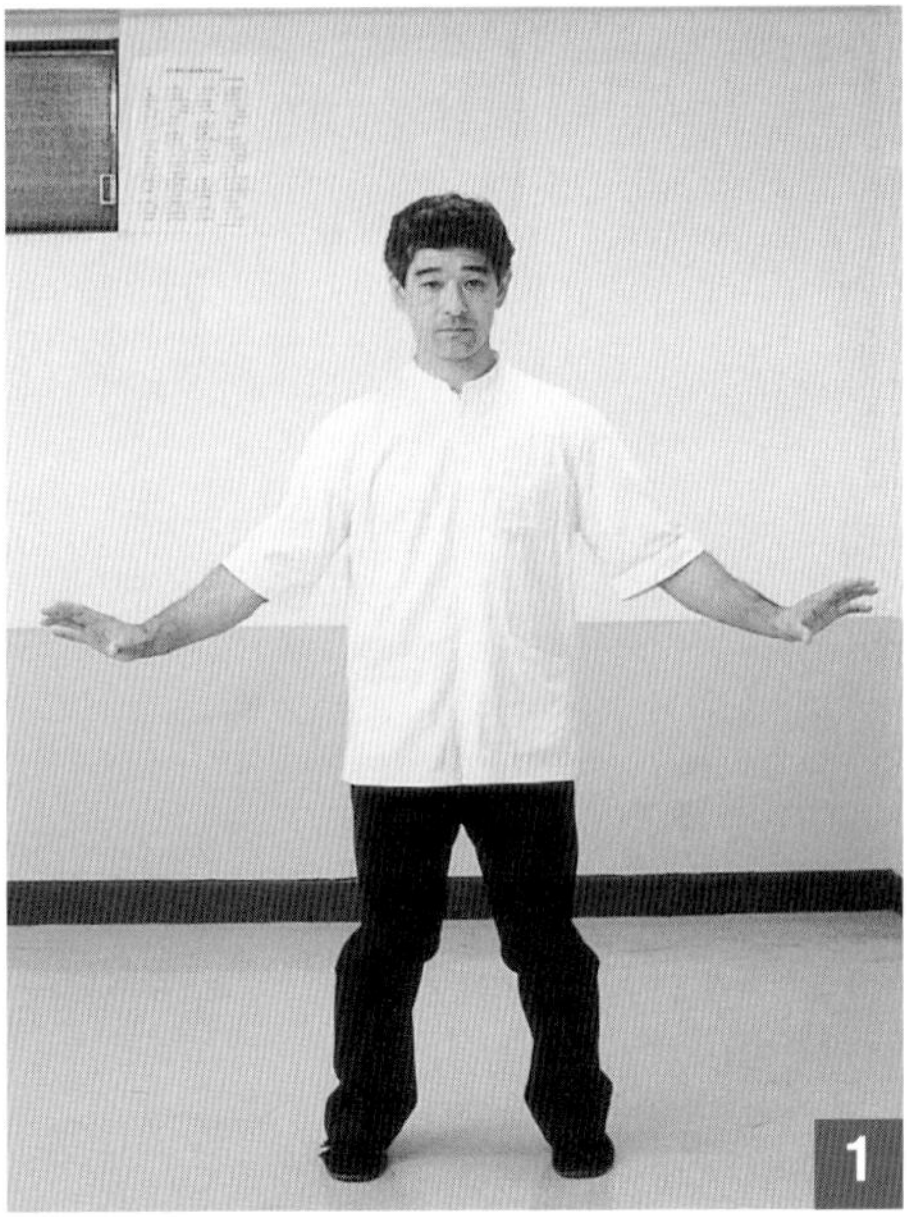

その二

1の動作から両手を胸の高さまであげる。手の平を中に向け、大きな円を作る。ちょうど大木を抱いたような型である（2）。このとき、肘を張ると肩があがり緊張を招いてしまうので、肘を張りすぎないよう注意する。身体の姿勢は1と同じである。

その三

2の動作から両手を胸の前にまっすぐ平行に出し、手の平を下に向ける。肘は内側にやや絞り、外側に張らないようにする。このとき、肘が身体に付いていてはいけない。やや前方に押し出して脇下の緊張を解放するように心がける。指はゆったりと開く（3）。

その四

そのまま両手を返しながら上に高く掲げる（4）。

王《おう》樹《じゅ》金《きん》老《ろう》師《し》は、この大《たい》成《せい》気《き》功《こう》をされているとき、あたかも大木がそびえ立つように微動だにしなかった。この站椿《たんしょう》には手を頭上高く掲げるポーズもあるが、老師は指導中この站椿を四十分近くも続けることがあり、老師に従ってこの型を行っていた私たちは、両手がしびれ、身体がガクガクになってしまうこともしばしばであった。

二

抜筋骨《ばっきんこつ》　～気の出しやすい身体を作る準備運動

抜筋骨《ばっきんこつ》は、前述した大成気功《たいせいきこう》の効果を高めるために、あらかじめ準備運動として行うものである。

全身の関節を緩め、筋を伸ばし、筋肉を柔らかくさせ、全身の「気」と血の流れを良くする働きがある。また、長時間同じ姿勢で労働し身体がこわばってしまったとき、抜筋骨を丁寧に行うことで、気功の効果が得られ、緊張した身体をほぐすこともできる。

抜筋骨には数多くのやり方があるが、そのうち簡単にできる三種を紹介する。

動作解説

その一

両足を肩幅に開いて立ち、両手を大きく円を描くように広げ頭上で手を組み（1）、そのまま左右に背骨を揺らすようにして上にゆっくりと伸びをする（2）。

このとき、強くやりすぎないように注意。

1

2

両手を組んだまま手を返して一度胸の前までおろし（3）、腰を曲げて組んだ手をおろす（4）。このとき、無理に曲げて地面に付ける必要はない。柔軟性を試すのが狙いではなく、腰と背中の緊張を解くのが目的である。

この動作を繰り返す。

3

4

その二

両足を開いて立ち、大きく両手を広げ、頭の上から腰まで大きく縦の円を描く（1・2）。

腰の前で両手を交差させ、やや下方に沈みながら大きく横円を描き腰へ手をとる（3・4・5）。

5

6

そのまま手を前に押し出す（6）。

右足を一歩横に踏み出し、左足もそれにともない移動させたら、1の姿勢から動作を繰り返す。

その三

両足を開いて、両腕をゆったりと広げる（1）。

腰を左方向に回して、両腕の力を抜いて振りおろし（2）、その勢いで手首を内側に折り、上に振りあげる（3）。

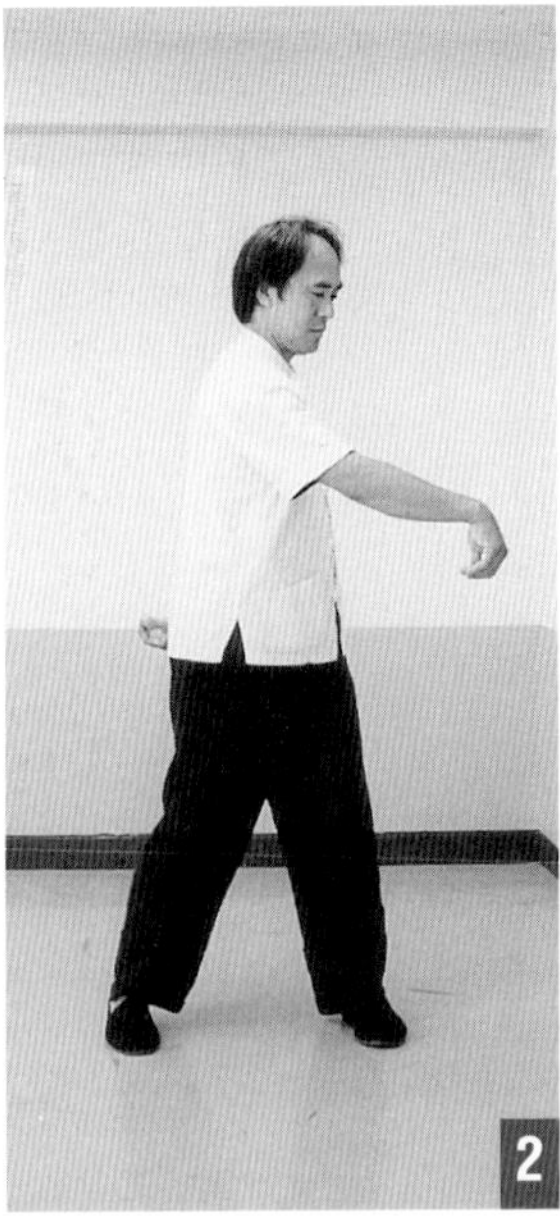

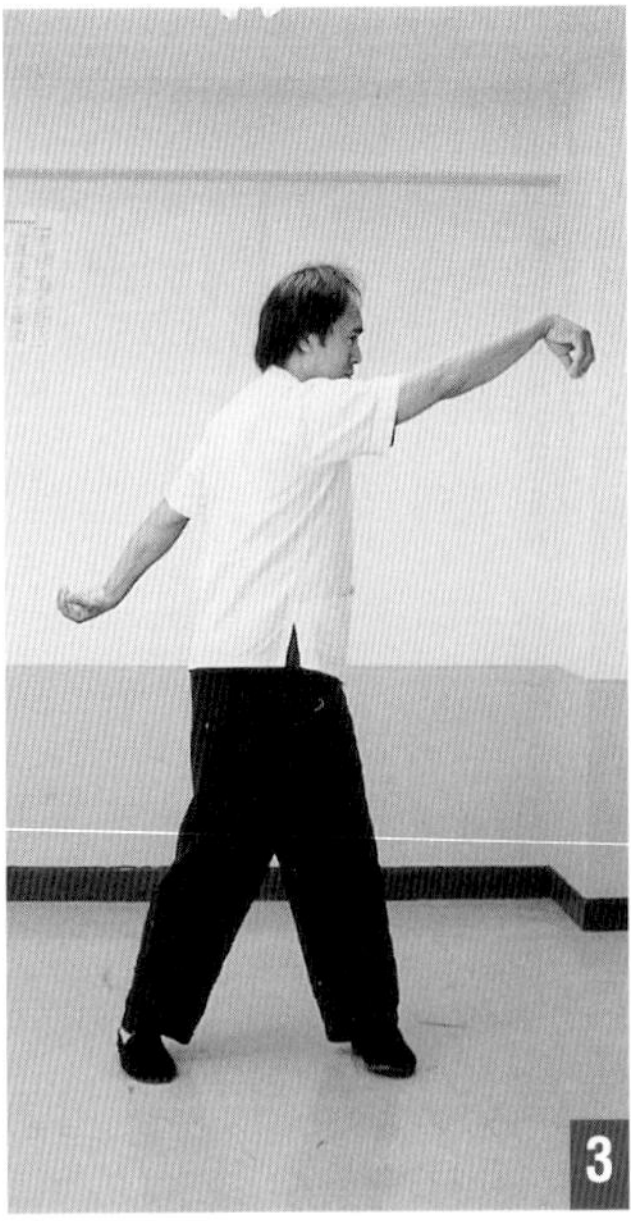

両腕を振りおろして（4）、身体を正面に向け両腕を広げる（5）。

4

5

反対方向にも腰を回し、両腕を振りおろし（6）、手首を折って振りあげる（7）。同様に、左右数回繰り返す。腕の振りあげ、振りおろしに合わせて膝を屈伸し、身体を自然に上下させ、腰を回す。

6

7

第二節　武道としての太極拳

一　太極拳による護身術

先述したように、太極拳の基本は護身術であり、相手の攻撃を受けることを想定して技が作られている。なぜなら、相手に対していくら攻撃を加えても、結果的に身を護れなければ意味がないからである。

攻められたときに対する技は、「防御」と「攻撃」が一体となっている。一般に攻撃と防御は分けて考えられるものだが、太極拳では基本的にこの一連の動作を分けることはない。いわゆる「攻防一体」であり、相手は「よけられた」と思った瞬間、同時に攻撃を受けているのである。

この太極拳の護身術は、「かわす・いなす・さばく」の三つの動作が大変重要となる。どんな強力な技も、かわしてしまえばその威力を発揮することができない。またどんな剛力の拳も、いなされてしまえば、自らの勢いに体を崩すことになる。そして、「かわす」「いなす」ことによって、相手の力を利用して攻撃に転じるため、何人もの敵を相手にさばいても、体力を消耗しない。

ちなみに、護身術は敵を徹底的に打ち負かすことが目的ではない。要は身を護り、難を逃れられればそれでいいのである。さらに言えば、技を使わざるを得ない状態に身を置かないことこそ、最良の護身と言える。その意味では、太極拳によって「気」の力が培われると、身に迫り来る危険をあらかじめ察知し、危険な状態からわが身を遠ざけることも可能になる。

これらの基本的な理解を踏まえた上で、次項からは実際に太極拳の護身術を体験する段階に入っていきたい。

太極拳護身術による用例

初級編

相手が腕をつかんできた場合（1）

つかまれた腕に十分な「気」を送り、手をあげて振りほどき（2）、

顔面を一撃する（3）。

中級編

相手が短刀で突いてきた場合

突きをかわして（1）、相手の頭部に攻撃を加える（2）。

1

2

手をとって下へおさえ込み（3）、ひるんだすきに短刀を奪いとる（4）。

3

4

上級編

相手が短刀で上から切りかかってきた場合（1）

短刀を左手でよけて（2）、相手の首めがけて右手刀を打ち込む（3）。

1

2

3

同時に右足を相手の右足にからませて引き（4）、相手を倒す。倒れなければ右肘で相手の顔を打つ（5）。

二 攻防一体の型の用例

太極拳の技は、基本的に護身として用いるものであり、相手が攻撃を仕掛けてきたとき、その力の方向や強さに従い、しなやかに反応する。原理としては、相手の攻撃をいなしながらその勢いを吸収し、体重移動や腰・腕のひねりをテコの原理やコロに利用して相手の身体を崩していく。その上で、自らの「気」を発射する「発勁《はっけい》」の力をもって相手の力を跳ね返していくのである。

一般的に知られている太極拳には、技の覚えやすさを優先するため、型を二十四くらいに簡略化したいわゆる「*簡化《かんか》太極拳」と呼ばれるものがある。しかし本書で紹介する正《せい》宗《そう》太極拳は、中国古来の太極拳を余すところなく伝えるため、型は九十九通りもある。この九十九の型が、すべて「攻防一体」の技となるわけだが、一つの型の用法は状況によってさまざまに変化するので、実際の用法は九十九の型の数倍、つまり百九十八通り、二百九十七通り、あるいはそれ以上にもなる。これらすべての用法を本書一冊で紹介することはできないので、ここでは、太極拳の基本的な型である「攬雀尾《らんじゃくび》」を例にとって説明し、代表的な用法を通じて太極拳の原理をご理解いただきたい。

当初、太極拳は攬雀尾のみで構成されていたという。それだけ、攬雀尾の用法が多種にわたって存在するということである。

これは正宗太極拳すべての型に共通して言えることだが、相手の攻撃をいなした動作は、そのまま攻撃に転じる姿勢になっている。攬雀尾の用法においても、相手をいなしたと同時に発勁の準備動作が行われ、攻撃になったり、次々と仕掛けられる攻撃をさばいていく姿を見ていただけるだろう。

攬雀尾は、「採《さい》・掤《ほう》・履《り》・擠《せい》・按《あん》」の五種の基本動作によって構成されている。これらは、間断なく繰り出される技の連続動作である点に注目していただきたい。

動作解説

その一　採《さい》

相手の突きを、左手で受け流す。左手は相手をつかんではいけない。手首をひねることにより、コロとして利用して勢いをいなすようにする（1）。

相手の突きの勢いをやや腰を左にひねりながら後ろ下方にいなし、相手の上腕に上から右手を添える（2）。左足に体重を乗せ十分腰をひねって相手を引き入れ、相手の突き手をとった左手を腰に固定しこれを支点とし、右腕を下方に動かして相手を引き落とす（3）。

その二　掤《ほう》

右腕に左手を添えて、突きの上腕を受ける（4）。

腰をひねって突きの力の方向を変え、相手の身体を崩し、さらに相手の頭部に向かって、右掌で突きを加える（5）。

4

5

その三　攦《り》

相手の突きを、左手で受け流す。要領は「採」と同じである。右手を相手の突きの上腕に添え、コロの原理で突きの勢いを後方にいなす（6）。

その四　擠《せい》

身体を浮かした相手の上腕に右手を付け、左手を右手に添えて打つ（7）。

その五　按《あん》

つかみかかる相手の両腕を、体重を後方に移動させながら、手首が円を描くようにして上方にすくいあげる（8）。

相手が両拳で頭部を攻撃してくるのを受ける（9）。

体重を元に戻して、相手の胸部を両掌で打つ（10）。

8

9

10

三 散《さん》手《しゅ》

散手《さんしゅ》とは中国武術で組手（実際に組んで型を使ってみる練習）のことを言う。

正宗《せいそう》太極拳九十九勢の中から、わかりやすい太極拳の使い方を五つ紹介する。

正宗太極拳の用法は、一つの型の中に複数の用法が存在するだけでなく、他の型との組み合わせによって、状況に応じたいくつもの技のバリエーションを生み出せるように研究されたものである。その一端を御理解いただければと思う。各々の型の説明は「第三章」を参照されたい。

第七勢左右《さゆう》搬攔《ばんらん》から提手上勢《ていしゅじょうせい》まで

左からくる相手の攻撃を左手でおさえ（1）、右手で相手の頭部を打つ（2）。

1

2

次に相手が右手で攻撃してきたのを右にはらい（攔）、さらに左拳で突いてくるのを、左手で上よりおさえて引き相手の身体を崩す（3）。

続いて提手《ていしゅ》上勢《じょうせい》である。相手が右で突いてくるのを左手でよけながら右手で相手の急所を打つ（4）。さらに左手で相手の左手の攻撃をおさえつつ、右手で相手のあごを打つ（5）。

4

5

第十九勢轉《てん》身《しん》肘《ちゅう》底《てい》看《かん》捶《すい》から拗《よう》歩《ほ》倒《とう》攆《れん》猴《こう》まで

相手が左方から攻撃してきたとき、左足を一歩斜め前方に踏み出し（1）、左腕で大きく円を描きながら相手の突きをかわし（2）、右手で相手の顔面を掌打する（3）。

4

5

6

さらに相手が左突きをしてきたとき、それを右手でおさえ、左拳を突き出し、相手のあごを打つ（4）。

続いて拗《よう》歩《ほ》倒《とう》攆《れん》猴《こう》に入る。相手が右拳で突きを入れてくるのを左手で上方に受けながし、右手で相手の胸を打つ（5）。

さらに左拳の攻撃を右手で受け流し、左手で相手の顔面を打つ（6）。

さらに相手が左拳で攻撃してくるのを、足をあげて膝を守りながら左へ受け流し（7）、次に右拳で攻撃してくるのを右に受け流し、左掌で打つ（8）。相手の足に右足をからませ同時に右手刀で相手の首を打つ（9）。

7

8

9

さらに相手が右拳で攻撃してきたとき、右足で左膝を守りながら右手で受け流す（10）。右足を後ろへ置きながら左手で右の攻撃をよけ、右掌で顔面を打つ（11）。

10

11

第三十六勢左高探馬《ひだりこうたんま》から左分脚《ひだりぶんきゃく》まで

相手の右拳の攻撃を右手で受け流し、左手刀で打つ（1）。

左手で攻撃を続ける相手の肘をおさえて左に崩す（2）。

1

2

さらに右手で反撃してくる相手の肘をとり下へ崩す（3）。

さらに攻撃しようとする手をおさえながら左足で蹴る（4）。

第五十二勢轉《てん》身《しん》右《みぎ》踩《さい》脚《きゃく》から並《へい》歩《ほ》進《しん》歩《ぽ》搬《ばん》攔《らん》捶《すい》まで

転身して後ろからの相手の蹴りを両手で受け（1）、さらに突いてくるのを両手をあげて受ける（2）。

1

2

右足底で相手の膝を蹴る。同時に右掌で相手を突く（3）。

さらに相手の右からの攻撃を右手で受けながら左掌で相手を突く（4）。

3

4

相手が突いてくるのを左足を一歩進め、これを右方に引いて流す（5）。

さらに相手が突いてくるのを、左手で外方にはらい受け流し、両足を並べて右掌で相手を打つ（6）。

5

6

相手が続いて右拳で攻撃するのを左足を一歩進め、左手で上から右に流す。そして、右拳で突く（7）。

7

第八十六勢轉《てん》身《しん》單《たん》擺脚《はいきゃく》から上歩《じょうほ》指《し》襠《とう》捶《すい》まで

右後方より相手が攻撃してくるのを、振りむきながら左掌で右方にはらい、右足で脇腹を蹴る（1）。続いて、着地しながら左手で打つ（2）。

相手が左手で攻撃してくるのを左でおさえ受け、左足を進めて右拳で突く（3）。

コラム3

太極拳は、人間《にんげん》工学《こうがく》の粋《すい》

太極拳の技は、「人間工学の粋」と言える。人体の骨格の構造や関節の機能、中国医学的見地の生理学が根底にあり、身体の個々の部位を最大限有効に機能させるよう考えられている。

まず、気のエネルギーを最大限に活かすには、身体がより多くの気を発生させる状態にする必要がある。つまり、「鬆《そん》」の筋質《きんしつ》（Ｐ30参照）を得るには、＊経絡が滞ることなくスムースに気を流せるような骨格の構造にならなければならない。

太極拳を始めた人には、初期段階で肘《ひじ》の関節の位置を指導するが、これは種々の経絡系が腕を通って指に向かっていくため、その通路である肘の関節がどの角度に置かれているかによって、気の流れが左右されるからである。特に発勁《はっけい》するとき、気を発射する親指と人差指の間（虎口《ここう》）の位置は非常に重要である。また、常に腰が安定した姿勢を作っていくが、これは気の発生源である下腹の丹田《たんでん》の状態を最良にするためだ。

こうした配慮は、型のいたるところに活かされている。それゆえ、型の正確さは非常に重要なポイントとなっている。柔拳《じゅうけん》を修業するのに、いかなる師に恵まれるかが問題になるのはこのためだ。型に関する留意点は細部にわたるため、正しい知識と豊富な経験を積んだ拳法家でないと指導できないのである。

人体内部を流れる気の流れの法則も、型の動きに関係している。気はまっすぐに進んでいるわけではなく螺旋《らせん》を描きながら進む性質を持っている。腕を打ち出すときも、「気のうねり」に則《そく》して打ち出すのである。だから、剛拳《ごうけん》のような直線的な動きは太極拳には存在せず、型の随所に気の螺旋運動を意識したヒネリやネジレが存在する。まっすぐに打ち出しているように見える型もあるが、この場合でも腕に螺旋運動が集約されている。またヒネリを秘めた拳は気が流れやすく、スクリューの効果を持ち、発勁された気を相手の身体にドリルのようにねじり込ませていく。

太極拳の技は、生理学だけに留《とど》まらず、力学も根底においている。太極拳は円運動をうまく利用することで技が構成されているので、遠心力（注1）、向心力《こうしんりょく》（注2）の原理や慣性《かんせい》の法則（注3）が技の随所に活かされている。相手の力を利用できるのは、この力学の種々の法則を利用するからである。テコやコロのようにうまく身体を使い、相手の力を崩していくのが太極拳の技術であると言える。

（注1）物体が回るとき、求心力に反作用して、軸から遠ざかろうと外へ向かう力。

（注2）物体が円運動をするとき、この円の中心に向かって物体に働く力。中心力。

（注3）物体の運動に関する基本的な法則。

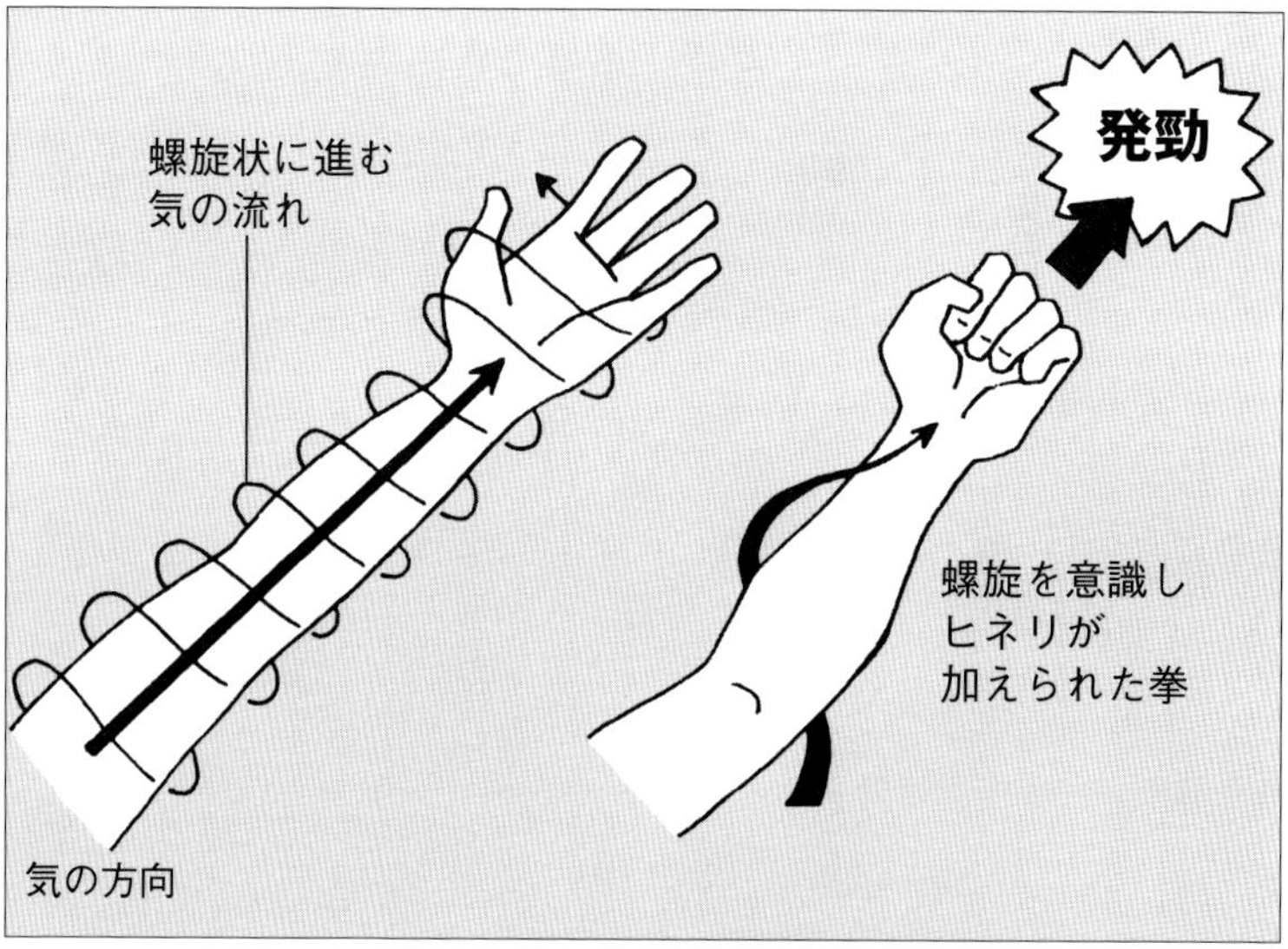

スパイラルに流れる気の力が拳の威力を強大にする

四 推《すい》手《しゅ》

太極拳の技の感覚を磨くのが推手《すいしゅ》である。推手は他の拳法でいう「組手」に相当するが、拳で打ち合うわけではない。

推手は防御がそのまま攻撃に転じ、また、攻撃が防御に転じる、攻防一体の太極拳ならではの組手である。「柔よく剛を制す」という言葉があるが、しなやかな推手の動きはまさにその言葉通りと言える。

太極拳の正式な鍛錬法においては、套路《とうろ》（太極拳の型のこと）だけでなく、必ず推手を合わせて練習する。つまり、套路と推手は車の両輪のような関係にあり、套路は推手によってその質が高められることで初めて、その型の意味を知ることができるのである。

推手には、片手で行う単推手《たんすいしゅ》、両手で行う双推手《そうすいしゅ》と四勢推手《しせいすいしゅ》がある。さらに歩きながら四勢推手をする活歩推手《かっぽすいしゅ》がある。これらを行うことにより、太極拳の実戦力を高めていくのである。

ここでは、初歩的なトレーニングである単推手を紹介する。

身体の緊張感を取り除き、相手の動きに従いスムースに動くように心がける。最初のうちは、腕や肩に力が入らないように気をつけ、前後の体重移動が自由にできるようにする。習熟すると、動きの中で相手に攻撃を仕掛けたり、攻撃をいなして防御すると同時に、その防御を攻撃に転じるという、攻防一体の感覚を身につけることができるだろう。

また、推手を行う両者の間には、続けるうちに良質の気が発生するばかりでなく、両者の動きに従って気の交換が起こり、気の質が倍加する。つまり、二人組になって行う気功の役割も果たしている。健康を目的にされる方々も、この鍛練を上手に活かして気の充実をめざしていただきたい。

推手の訓練では、接触した相手の腕から、相手の気を感知し、相手の動きを敏感にとらえる。これを「聴勁《ちょうけい》」と言い、相手の動きに合わせて技を繰り出す太極拳の特徴として、推手はその感覚を養う重要な役割を果たす。推手の動作には、次の四つの基本がある。

一．**黏《ねん》**…糊のように相手の手に粘り着くこと。
二．**連《れん》**…動作が滞ることなく連続すること。
三．**随《ずい》**…相手の動作に従って動くこと。
四．**棉《めん》**…綿のように柔らかく、つぶされても復元力があること。

単推手《たんすいしゅ》・動作解説

右の人物をAとし、左をBとする。まず、手が相手の身体に届くような位置に向かい合って立つ（1）。

右足を前に出し、両足を第十勢摟膝拗歩《ろうしつようほ》のように中定歩《ちゅうていほ》に構える。ABとも互いの右の手首の外側を合わせ、左腕は軽く湾曲させて脇におろす。身体全体をリラックスさせる（2）。

3

Aは右足に体重を移動し、手を前に出す。Bはその動きに従い、左足に体重を移動すると同時に右手を内側に向けて曲げ、腰をひねって相手の動きをいなす（3）。

4

続いて、Bは右足に体重を移し前に手を出し、今度はAが相手の動きを同様にいなす（4）。2～4の動作を繰り返して、攻防を続ける。

達人たちのエピソード・張兆東《ちょうちょうとう》

張兆東《ちょうちょうとう》の時代は清朝の権力が急速に弱まり、各地に群雄が割拠する動乱期であった。特に、天津以北の東北地方は馬賊《ばぞく》や匪賊《ひぞく》が横行し、きわめて治安の乱れが大きかった。中央政府は、この異民族対策に悩まされてきた。

陸路で荷駄を運んでいたこの時代、その旅程は大変危険なばかりでなく、匪賊の横行は経済の停滞さえ招いていた。そのような中、張兆東とその門下の高弟たちは、物資輸送の中でも最も匪賊の標的となりやすい現金輸送の護衛を担当していたのである。

護衛の際、荷車に「我々は武門の誉れを維持し高揚させる一団なり」という意味の「我武維揚」と大書した旗を掲げ、「ウォー・ウー・ウェイ・ヤン！」と終南門派《しゅうなんもんぱ》の達人たちが護衛していることを大声でアピールしながら荷を守った。街道筋に潜む匪賊たちは、その声に恐れをなして手出しもできなかったという。また、張兆東は単身、匪賊や馬賊の根城に乗り込み、その武芸の実力で、如何《いか》に抵抗が無駄であるか知らしめた。道程に有力な匪賊が立ちはだかれば、武術で立ち会い、試合に勝ったら荷を通せと渡り合った。いくつかそのエピソードが伝えられている。

とある街道筋のこと、匪賊の根城に単身直談判にいった張兆東は、槍の先に刃の代わりにチョークをつけ、匪賊の一団に向かってこう言った。「自分はこの槍で立ち会うから、お前たちを殺しはしない。だが、お前たちはどんな武器でかかって来るも自由だ」

何を小癪《こしゃく》な、と匪賊たちは思い思いの武器を手に、一斉に張に躍りかかった。張はその動きを既に予見していたかのように正確にかわし、槍を舞うがごとくさばいていく。両者の大立ち回りが一段落し、張と匪賊は距離をおいて暫し対峙した。肩で息を弾ませる匪賊たち、それに対し、息の乱れもなく端然と構える張。ふと匪賊たちが気付くと、自分たちの衣服に幾筋ものチョークの跡がつけられている。もし、これがチョークでなく刃だったとしたら……彼らの間に戦慄が走った。実力の差を見せつけられた匪賊たちは、手出しすることなく張の守る荷駄を通過させた。

張兆東の時代は、武術が現実に生きた時代であり、時代そのものが武術を必要としていた。張兆東の門下は、こういった警護の組織を作り護衛に従事していた。武術が職業として成り立ったのである。また、張兆東は地域の警察署長も務めたと伝えられている。張兆東の武芸は、文字通り実戦の中で鍛えあげられた武芸であった。

技術編

第二章　正《せい》宗《そう》太極拳の奥義

第一節　太極拳の真髄　正宗《せいそう》太極拳

一　さまざまな状況を想定した九十九の「型」

技から技へと流れる攻防一体の原理

本書で紹介する正宗《せいそう》太極拳は、前述したとおり、太極拳の原理を損なうことなく武術性の高さを追求したものである。その套路《とうろ》（太極拳の型）には無駄な動きがなく、技から技へ自然に流れていくように作られている。一つの套路はそれ自体が技であると同時に、次の技への準備ともなり、四方八方から攻めてくる敵を次々にさばいていくように構成されているのである。

前後の敵から攻撃された場合の太極拳の護身術の例として、第七勢左右搬攔《さゆうばんらん》の技の流れを大まかに見てみよう。まず、前方からくる敵の右拳を左手甲でかわし、同時に右掌で敵の頭部を攻撃。この瞬間、すでに後方の敵からの攻撃に備える。（1・2）次に転身し敵の右拳を右手で払い、敵の側面に隙を作る。同時に左掌で敵の脇腹を攻撃する（3・4）。

どの動きにも太極拳の特徴である「攻防一体」の原理が貫かれている。転身にも技の配慮がなされ、スキがない。武器を失い窮地に立たされ、何人もの敵に囲まれたとしても、脱出できるように技が考えられているのだ。

また、正宗太極拳の套路には、重要度の高い技ほど繰り返し鍛錬できるよう、九十九勢の中に同じ動きが数回にわたって盛り込まれている。さらに、型によっては、ただ繰り返すだけでなく、さまざまな状況を想定して動きを変化させている。代表的な套路である「攬雀尾《らんじゃくび》」を例にとると、両足の位置をそのままで行う基本的な套路のほか、前方に進みながら使う第三十勢の活歩攬雀尾《かっぽらんじゃくび》、一歩踏み出して「擠《せい》」を打つ第六十二勢の墊歩攬雀尾《てんぽらんじゃくび》のように、使い分けがなされている。

左右搬攔の動作解説

1

2

3

4

正宗太極拳の効果的な練習法

太極拳は禅の修業法である「座禅《ざぜん》」に比較して「動禅《どうぜん》」と呼ばれる。座禅は、姿勢を整える「調身《ちょうしん》」、腹式呼吸をゆっくり繰り返して呼吸を整える「調息《ちょうそく》」、心を無にして雑念をはらう「調心《ちょうしん》」の三点を心がけ、ひたすら座る修業法である。心身の緊張が解かれ、無我《むが》の境地にいたったとき「悟り」の世界を味わい、本来の自分や宇宙の大きさと慈悲を見い出すという。

太極拳は、ゆっくりとした動作の中に調身、調息、調心を織りまぜていく。体内を流れる「気」や「血液」の循環を整える型が身体の緊張を解きほぐし、ゆっくりとした動作は呼吸を腹式に導き、心の緊張を解いていく。気の流れを身体に十分感じて太極拳を続けると、禅で言う理想の境地「三昧《さんまい》」に近づいていくだろう。

正宗《せいそう》太極拳は九十九勢だが、一通りこなすと約二十分かかる。これでも動禅の感覚を十分得られるが、修練を積むと三十分以上時間をかけて行うことができるようになる。

ゆっくりと正確に型をこなすには、より一層の集中力と身体の粘りが必要となり、必ずしも初心者にお勧めできるものではない。だが、修練を積んでいれば、時間は長くなっても、身体は疲れを感じるどころか、より爽快な気分になり、動禅の感覚はよりいっそう高まるだろう。早朝の公園などの清新な空気に包まれて行うと、さらに効果が高いので、お勧めしたい。

第二節　技法一覧

一　攻撃技法説明

太極拳は全身のいたるところが武器となる。長い間の気功と太極拳の鍛錬を積めば指先さえ、鋭い武器となる。
ここでは、太極拳特有の身体の使い方を説明する。

肘打《ちゅうだ》　肘《ひじ》で打つこと。

腰打《ようだ》　腰で打つこと。

掌打《しょうだ》　手の平で打つこと。

靠《こく》　肩で打つこと。

捶《すい》　こぶしで打つこと。

挒《れつ》　手刀でななめに打つこと。

掌形説明

手によるさまざまな打ち方、その名前

鉤手《こうしゅ》

人差し指、中指、薬指、の三指と親指を合わせ、手首を曲げた形で相手を打つ。

擠《せい》

左足を前に踏み出しながら左掤《ひだりほう》で受け、右手で攌《り》をかけ、右足を出しながら左手を右手の手首に当てて打つ。

三勢　上歩《じょうほ》打《だ》擠《せい》

劈《へき》

指先を四五度前方に傾け、手の形がやや寝た形で相手を掌で打つ。

按《あん》

指先を上方に向け、掌底で相手を打つ。

鉤手《こうしゅ》

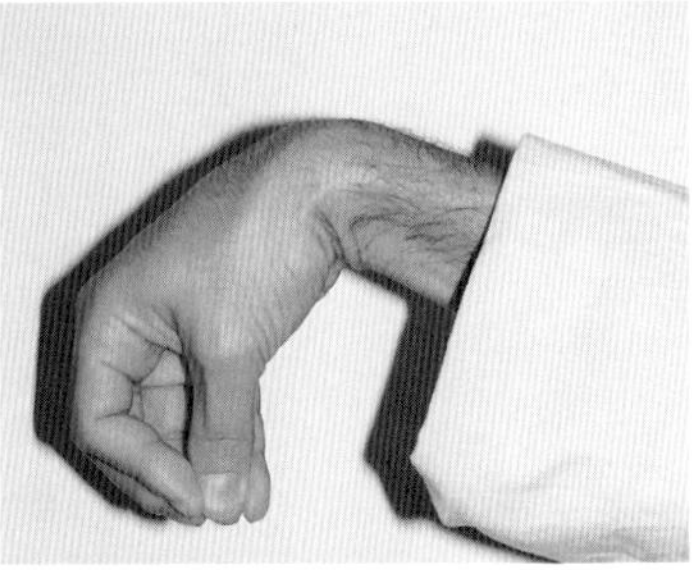

擠《せい》

劈《へき》

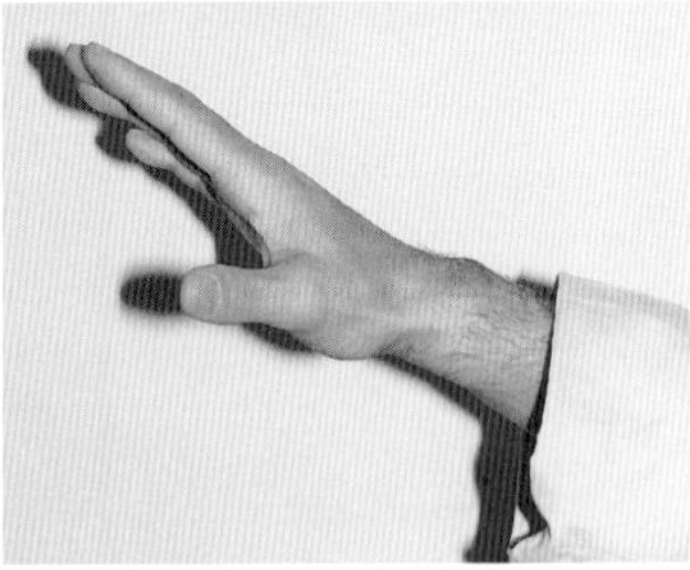

按《あん》

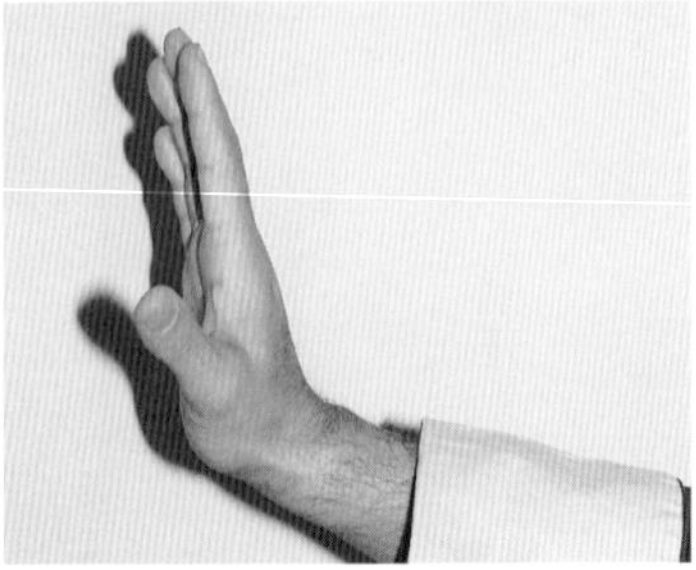

双按《そうあん》

身体を左方に転じながら同時に両手を頭の高さにあげる。左右同時に前方に押し出す。すなわち手の平の下の部分（掌底《しょうてい》）で相手の急所を打つ。足は中定歩となり、目は双掌を見る。

双按《そうあん》

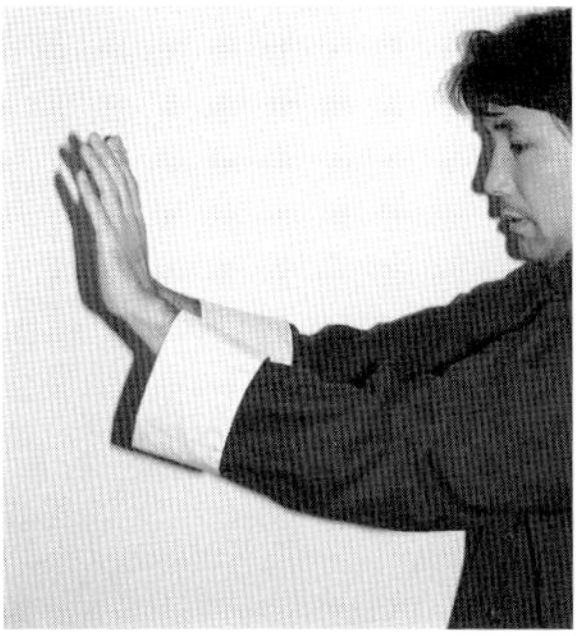

搬《ばん》

搬は、運ぶ・移すという意味で、相手の攻撃に対して手を外へはらいのけることを言う。

七、二十二、七十二勢　左右搬攔《さゆうばんらん》
十二、五十三勢　並歩進歩搬攔捶《へいほしんぽばんらんすい》
二十九勢　退歩搬攔捶《たいほばんらんすい》
七十九勢　上歩搬攔捶《じょうほばんらんすい》　九十六勢　繞歩搬攔捶《ぎょうほばんらんすい》

攔《らん》

攔は「さえぎる、防ぐ」という意味で、相手の攻撃を内に流すことを言う。

七、二十二、七十二勢　左右搬攔《さゆうばんらん》
十二、五十三勢　並歩進歩搬攔捶《へいほしんぽばんらんすい》
二十九勢　退歩搬攔捶《たいほばんらんすい》
七十九勢　上歩搬攔捶《じょうほばんらんすい》　九十六勢　繞歩搬攔捶《ぎょうほばんらんすい》

搬《ばん》

攔《らん》

脚形説明

足によるさまざまな攻撃、その名前

分脚《ぶんきゃく》

つま先で蹴る形を言う。

三十五、四十三勢　右分脚《みぎぶんきゃく》
三十七勢　左分脚《ひだりぶんきゃく》

蹬脚《とうきゃく》

踵《かかと》で蹴る形を言う。

三十八勢　轉身蹬脚《てんしんとうきゃく》
四十八勢　右蹬脚《みぎとうきゃく》

踩脚《さいきゃく》

つま先を外に向け足の内側で蹴ることを言う。

五十二勢　轉身右踩脚《てんしんみぎさいきゃく》

分脚《ぶんきゃく》

蹬脚《とうきゃく》

踩脚《さいきゃく》

踹脚《たんきゃく》

つま先を内に向け足の外側で蹴ることを言う。

五十一勢　披身踹脚《ひしんたんきゃく》

擺脚《はいきゃく》

足の甲を使って打つこと。

八十六勢　轉身單擺脚《てんしんたんはいきゃく》
九十四勢　雙擺脚《そうはいきゃく》

膝打《しつだ》

膝で打つこと。

踹脚《たんきゃく》

擺脚《はいきゃく》

膝打《しつだ》

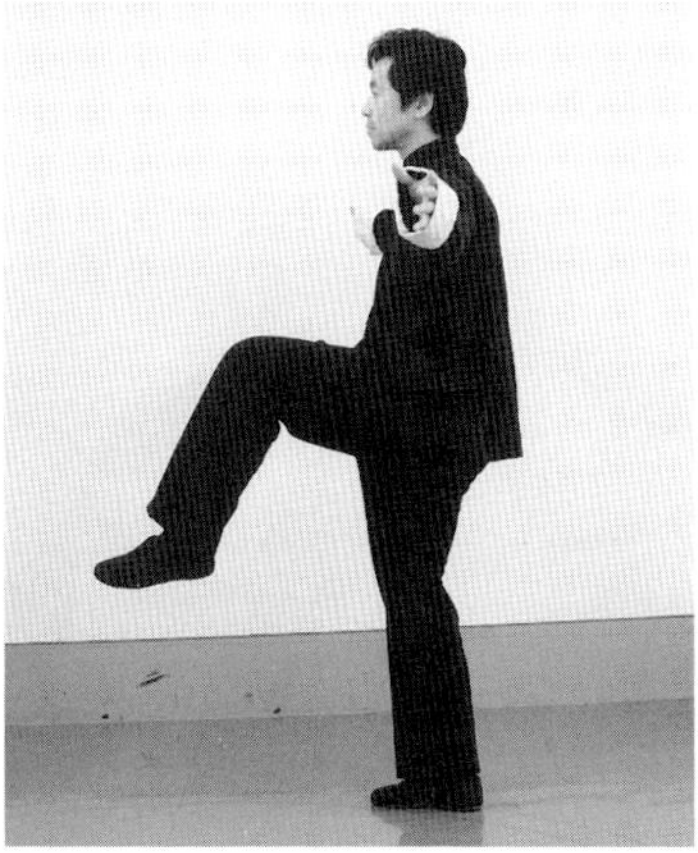

二　歩法説明

上歩《じょうほ》

前に出ている足はそのままで、後ろの足を前足の前に一歩進めること。

三勢　上歩打擠《じょうほだせい》　四十二勢　上歩右高探馬《じょうほみぎこうたんま》
七十九勢　上歩搬攔捶《じょうほばんらんすい》
八十、八十八勢　上歩攬雀尾《じょうほらんじゃくび》
八十七勢　上歩指襠捶《じょうほしとうすい》　九十一勢　上歩七星《じょうほしちせい》

上歩《じょうほ》

退歩《たいほ》

後ろにある足はそのままで、前の足を後ろ足の後ろに一歩進めること。

二十九勢　退歩《たいほ》搬攔捶《ばんらんすい》　四十四勢　退歩《たいほ》右打虎勢《みぎだこせい》
四十六勢　退歩《たいほ》左打虎勢《ひだりだこせい》　九十二勢　退歩《たいほ》跨虎《ここ》

退歩《たいほ》

並歩《へいほ》

片足が前にあるときに、後ろ足を進めて前の足と並べること。

十二、五十三勢　並歩進歩搬攔捶《へいほしんぽばんらんすい》

並歩《へいほ》

進《しん》歩《ぽ》

並歩の状態から、前足をさらに進めること。後ろ足を進める間がないときに用いる。

十二、五十三勢　並《へい》歩《ほ》進《しん》歩《ぽ》搬《ばん》攔《らん》捶《すい》

進《しん》歩《ぽ》

拗《よう》歩《ほ》

前に出す手と前に出す足が左右逆になっている形を言う。

十、二十五、三十九、七十五勢　摟《ろう》膝《しつ》拗《よう》歩《ほ》

十五、五十六勢　斜《ななめ》摟《ろう》膝《しつ》拗《よう》歩《ほ》

二十勢　拗《よう》歩《ほ》倒《とう》攆《れん》猴《こう》

拗《よう》歩《ほ》

順《じゅん》歩《ぽ》

前に出す手と前に出す足が左右同じになっている形を言う。

七十勢　順《じゅん》歩《ぽ》倒《とう》攆《れん》猴《こう》

順《じゅん》歩《ぽ》

中定歩《ちゅうていほ》

片足を前に出し、つま先はまっすぐにする。後ろ足は外方へ約三〇度向け、両足ともに少し曲げ、重心は両足の中間に置く。

中定歩《ちゅうていほ》

右坐歩《みぎざほ》

右足が前で、左足は後ろにあり、右足先が約三〇度外方に向き、右足を曲げてこれに強く体重をかけ、身体を低くしたもの。

右坐歩《みぎざほ》

三 身体要訣～太極拳を行う上で心がけると良い要訣

沈肩垂肘《ちんけんすいちゅう》

両肩を落とし肘をさげること。すると拳で攻撃したとき、気が強く打ち出せる。

含胸抜背《がんきょうばっぱい》

両肩を落とし背骨をまっすぐに維持しながら、胸を落とすようにすると（含胸）自然に抜背となり大きな偉力を発揮する。

虎口《ここう》

親指と人差し指の間をさす。虎口を開くと気がよく出るようになる。

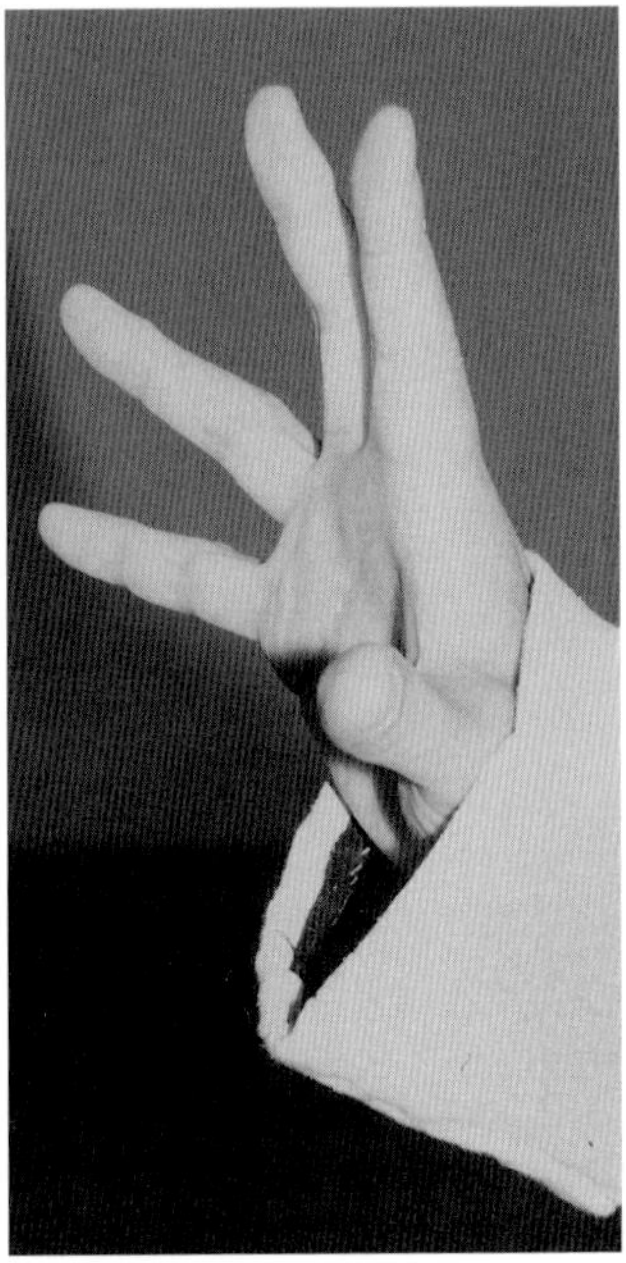

虎口《ここう》

技術編

第三章　正《せい》宗《そう》太極拳九十九勢一覧

第一勢　渾元椿《こんげんしょう》

まず南に向かい、両足の踵《かかと》を合わせて立つ（1）。全身の力を抜いて心静かに、無心の状態となり、呼吸も自然に行う。

左足を半歩前に進める。続いて右足も半歩前に進め、肩幅と平行に開く。

膝《ひざ》を軽く曲げ、力を抜き、腰を落とす。目は静かに前方を見つめる（2）。両腕は自然にさげて、手を大腿部《だいたいぶ》の外側に軽く添える。雑念を取り除き、「気」の発生に意識を集中させる。

1

2

第二勢　開《かい》太《たい》極《きょく》

膝を伸ばしながら両腕を前方にゆっくりとあげていく。指は自然に下にたらした状態で両手を額の高さまであげる（3）。

次に膝を曲げ身体を沈めながら両肘《ひじ》をさげ、両掌を前方に向けて軽く押し出す。「双按《そうあん》」である（4）。

次に両手を時計方向へ回していく（5）。

5　4　3

両手が両膝の前を通過するとき、右足の踵《かかと》を内側に入れ（6）、両手はそのまま左上方へ円を描いて肩の高さまであげる（7）。続いて、顔の前まで移動させる（8）。

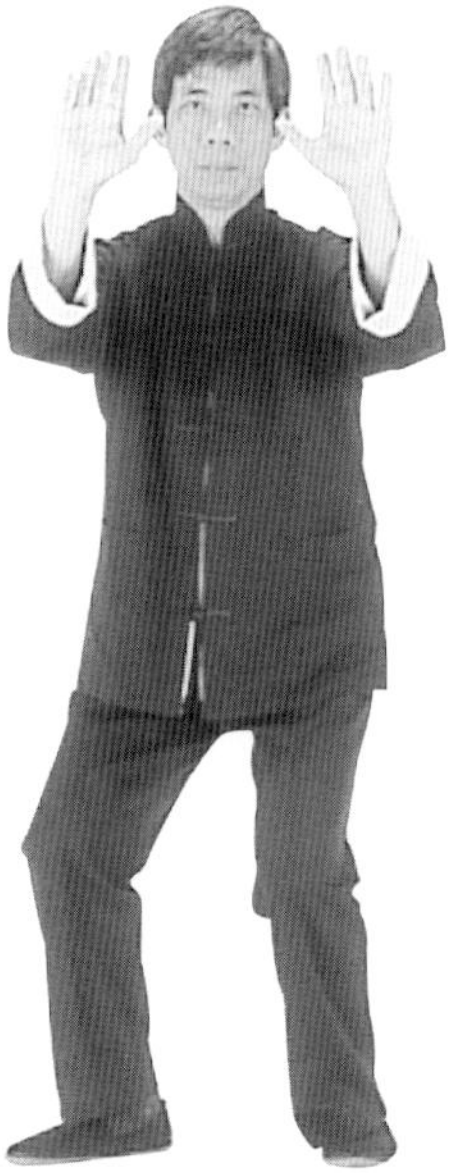
8

7

6

第三勢　上歩《じょうほ》打《だ》擠《せい》

　上体を右方向にひねり、体重を右足に移しながら両手を右方向に移動する。そのとき、左手は垂直に立てて掌《てのひら》を内側に向けてひねり、右手は掌を外に向け、左手首にあてる（9）。

　次に左足を前に進め、左腕を水平に、右掌を左手首の内側にあてて押し出す。「擠《せい》」である（10）。このとき、体重は右足から身体の中心あたりまで移す。

9

10

第四勢　右《みぎ》琵《び》琶《わ》勢《せい》

上体を右(西)方向にひねりながら、両手を下におろしてから左右に開く。このとき右足に体重を移しながら左足のつま先を内側に回す(11)。

続いて体重を左足に移動して、右足を右方向に一歩進め、中定歩となる。このとき両手を左右から大きく円を描いて上にあげ、胸の前で琵琶をかかえた形になる(12)。

11

12

右琵琶勢

13

14

第五勢　攬《らん》雀《じゃく》尾《び》

両足の位置はそのまま、身体を左方向へひねりながら両腕を左下方に引く。「採《さい》」である。体重はこの動きに従って左足に移動する（13）。

次に体重を元に戻しながら、左にひねった身体を右へ戻しつつ、右掌を左下方から右上方へ円を描くように押しあげる。

このとき左手の指先を右手首に軽く添える。「右掤《ほう》」である（14）。

15

16

次いで体重を左足に移動すると同時に身体を左にひねる。右腕は掌を内側に向けて垂直に立て、左手は掌を外に向けて指先を右手首に向ける。「攌《り》」である（15）。
続いて体重を戻しながら、右手の前腕を胸の前で水平にして左手を右手首の内側にあてて押し出し、「擠《せい》」となる（16）。

17

18

19

両掌を上に向けて重ねる（右手が下）。続けて、体重を左足に移動しながら両手を腰に近づける（17）。

続いて両手を頭の高さまであげ（18）、体重を戻しながら両掌を前方に向けて押し出す。「双《そう》按《あん》」である（19）。

第六勢　斜《しゃ》單《たん》鞭《べん》

体重を左足に移しながら、右足のつま先を内側に向け、身体を左方向に回す。このとき右手は掌を内に向けて右から左へ顔の前を払い（20）、そのまま時計と反対方向に回す。左手は右手首に軽く添えておく。

体重を右足に移しながら、左回りの円を描いて、両手が顔の高さまできたら、右手を鈎手《こうしゅ》（親指を中心に人差指、中指、薬指の四指を合わせて手首を曲げる形）とする（21）。

次に身体を大きく左後方へ回して、左足を北東へ一歩進め、右手はそのままの形を維持し、添えられていた左手を顔の前から左肩前に押し出す（22）。

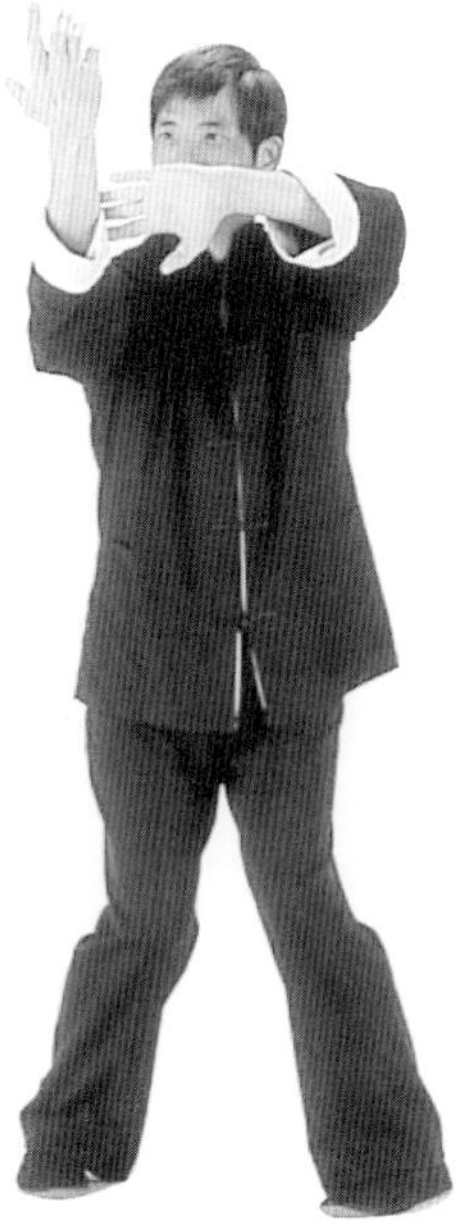
20

21

22

25　24　23

第七勢　左《さ》右《ゆう》搬《ばん》攔《らん》

両掌を上に向け、左手を前方に右手を後方に大きく広げ、体重を右足に乗せる（23）。体重を身体の中心に戻しながら右手を大きく頭上から左掌の上へ移動し、左右の掌を向かい合わせる（24・25）。

26

27

28

次に、体重を右足に移しながら左つま先を内側に回し（26）、腰を右にひねって第一勢の方向（南）に向き直る。両手は上体の動きにともなって右側に運ぶ（27）。

南を向いたら、体重を左足に移し、左手は左耳の近くに引きあげ、右手は掌を上に向けて右足の前に長く伸ばす。右足はつま先立ちとなる（28）。

第八勢　提《てい》手《しゅ》上《じょう》勢《せい》

右足を踏み直して踵をつけ、左足を一歩進めて、肩幅と同じ間隔で右足と平行にし、立ちあがる。このとき、左手を上から下に押しさげ、右手は左手の外側を通って額の前まで押しあげる（**29**・**30**）。

29

30

白鶴亮翅

32　33　31

第九勢　白《はっ》鶴《かく》亮《りょう》翅《し》

身体を左にひねり、体重を左足に移動しながら右手を左方向に押し出す。このとき右足の踵を外側に押し出す。

左手を伸ばし、身体の左外側から円を描いて右手の位置まであげ、掌を上に向ける。右手は掌を上にして左腕に添える。両腕で鶴の左翼を表わした「左《さ》亮《りょう》翅《し》」の形である（31）。

次に身体を右にひねり、左手は顔の前を左から右に払い、右手は下腹部を守りつつ左側から右側へ移す（32）。

そのまま右手は右肩先の延長線上まで伸ばして、掌を上に向ける。

同じく左掌は上を向けて右腕に添える。鶴の右の翼を表す「右《う》亮《りょう》翅《し》」である（33）。

この動きにともなって体重は左足から右足に移動する。

第十勢　摟《ろう》膝《しつ》拗《よう》歩《ほ》（三回）

体重はそのまま、身体を左方向に転じて東を向きながら、右手を右耳の脇に移動させ、左手は膝の前へ移動する。このとき左足はつま先立ちとする（34）。

東に向けて左足を進め右手を肩の高さで前方に押し出す（左摟膝拗歩）。

このとき左手は、膝の前を右から左に払い、体重は左足方向に移動して中定歩となる（35）。

34

35

次に、左足のつま先を外に向け、体重を左足に移動させる。

左手を後方から円を描いて左耳の高さにあげ、右手は手鏡のように掌を内側に向けて顔の前へ立掌としてあげる。

同時に右足をあげて左足の膝を相手の攻撃から守り、左足で立つ（36）。続いて右足を一歩前に進めて踵から着地し（37）、左手を前方へ押し出す。

右手は右膝の前を左から右へ払う。体重は右足方向に移動して中定歩となる（38、右摟《みぎろう》膝《しつ》拗《よう》歩《ほ》）。

左右反対の動作で左摟膝拗歩を行う（39〜41）。左右合計三回繰り返すことになる。

36

37

38

41

40

39

左琵琶勢

44

43

42

第十一勢　左《ひだり》琵《び》琶《わ》勢《せい》

両足はそのままで左手を下から上方に円を描いてあげる。

両掌を返して内側に向け、胸の前で琵琶を抱えた姿勢となる（42）。

第十二勢　並《へい》歩《ほ》進《しん》歩《ぽ》搬《ばん》攔《らん》捶《すい》

右に身体をひねり右足に体重を移しながら、左手を立掌として顔の前にあげる。右掌は左肘に軽く添える（43）。

左足のつま先を外側に回し北東方向を向き、右手を左肘のところから胸の高さで押し出し始めながら右足

45

46

47

を左足に引き付ける。

右手を押し出しながら、左手をひねり掌を外側上方に向けて頭を守る（44・45）。

続けて両掌を拳にし左拳を頭上から打ちおろしながら左足を一歩進め、右拳を腰に、左拳を右拳の前方にとる（46）。

次に、右拳で前方を突く。このとき左手は開いて右腕の肘の上に添え、足は中定歩とする（47）。

第十三勢　如《じょ》封《ふう》似《じ》閉《へい》

左掌を右肘の下へ移動し、右拳は開いて掌を上に向け、腰を右にひねり体重を右足に移しながら、左手は右腕の下を添って前方に出す（48）。

続いて両手を胸の前へ開いた形とし（49）、指先を斜め前方に向ける。

次にひねった身体を戻しながら、両掌を前方に向け按出する（50）。

48

49

50

如封似閉

52

51

第十四勢　十字手《じゅうじて》

体重を右足に移動しながら左足のつま先を内側に回し、身体を右にひねる。同時に左手を立ててひねり、右手の掌をやや下に向け左肘の近くを通り運ぶ（51）。

体重を左足に戻しながら正面を向き、左手を右肩から右腕に添って下に運び、下腹部の前で右手と交差する（52）。

53

54

右足を半歩右斜め前（南方向）に踏み直して体重を身体の中心に移しながら、両手で膝を払い両側に開く（53）。

両手はそのまま外側から大きく円を描いて、上方にあげる。このとき左足を右斜め前に引きつけて肩幅の広さで右足と平行にし、第一勢の方向に向き直る。

体重を身体の中心に戻しながら、両手首を顔の前で交差させる。このとき、右手が前方にある（54）。

第十五勢　斜《なな》摟《ろう》膝《しつ》拗《よう》歩《ほ》

右足を半歩さげる（55）。右手は下から右後方に回して掌を上に向け、左手は左から右に顔の前を通し、右斜め後ろの方向へ。このとき両掌は上を向き、体重を右足に移動する（56）。

55

56

次に、身体を左に回して左斜め前方（南東の方向）に向けると同時に、右手を右耳の脇へ運び（57）、左手は左足の前に移す。左足を半歩踏み出して、左手で左膝の前を払いながら右掌を前方へ押し出す（58）。

58

57

59

60

61

第十六勢　轉《てん》身《しん》抱《ほう》虎《こ》歸《き》山《ざん》

左足のつま先を内側に回し、左手を下から回して右手の前に重ねる。そこから、左手首を折った形で斜め後方へ引き、右手は胸の前に構え、体重は左足に乗せる（59）。

そこから右足を斜め後方に踏み変え、身体を右方向に回して（60）右手で右膝を払いながら左手を前方に押し出す（61）。

62

63

64

右手を外側から大きく回し、両手を抱えて右琵琶勢とする（**62**、第四勢に同じ）。

第十七勢　攬雀尾《らんじゃくび》

両足の位置はそのままで、「採《さい》」「掤《ほう》」「擺《り》」「擠《せい》」そして「按《あん》」を行う（**63**～**70**、第五勢に同じ）。

67

66

65

68

69

70

71

72

73

第十八勢　斜《しゃ》單《たん》鞭《べん》

身体を左にひねって（71）一八〇度回り（72）、左足を南東方向へ一歩進めて左手を打ち出す（73）。その他は第六勢の斜單鞭に同じ。

第十九勢　轉《てん》身《しん》肘底《ちゅうてい》看《かん》捶《すい》

左のつま先を外側（東）に開き、体重を左足に乗せて右足を右側（南側）へ踏み出しながら両腕を広げ大きく右から左に旋回させる（74）。動きを止めず、左手は拳を作って腰にとり、右手は前に構える（75）。右手を握ると同時に、その上を通過させて左拳を上前方へ打ち出す。そのとき右拳は左肘の下に添え、左足を引いてつま先立ちとする（76）。

74

75

76

轉身肘底看捶

拗歩倒攆猴

77

78

79

第二十勢　拗《よう》歩《ほ》倒《とう》攆《れん》猴《こう》（三回）

左足をあげて右足の膝を守り、左手は顔左側面の位置へ、右手は下前方に構える（77）。左足を後方へついて後退しながら（78）左掌を前へ押し出し、右手で右足の前を払う（79）。

右手を後ろへ送り、左腕は顔の前に立てて（80）、右足をあげ左膝を守る（81）。

続いて、右足を後方に移動させながら右掌は顔の横を通り（82）、前方に押し出す。

このとき左手は足前を払う（83）。

81

80

82

83

さらにもう一度左右反対の動作を行う（84〜86）。

85

84

86

87

88

89

第二十一勢　斜《しゃ》飛《ひ》勢《せい》

体重を左足に移しながら、左手を上へ跳ねあげて（87）大きく後方に旋回させると同時に、右手は前上方へ旋回させ（88）、左の肩の前へ持ってきて掌で顔を守る（89）。

次に体重を右足に移しながら左足を右足に寄せて左手を返して膝の前へ運ぶ（90）。

　そこから左足を斜め前方（北東方向）に踏み出すと同時に左手の掌を返して、上方へ切りあげる。右手は掌を下に向け右腰の前に置く（91）。

91

90

第二十二勢　左右《さゆう》搬攔《ばんらん》

第七勢に同じ。

第二十三勢　提手上勢《ていしゅじょうせい》

第八勢に同じ。

第二十四勢　白鶴亮翅《はっかくりょうし》

第九勢に同じ。

第二十五勢　摟膝拗歩《ろうしつようほ》

第十勢の摟膝拗歩の一に同じ。

第二十六勢　海底針《かいていしん》

左手を前方に伸ばしてあげ、右手を引いて左手の肘の脇に添える（92）。

続いて左足を引きつけて右足に体重をかけながら立ちあがる（93）。

次に左掌で顔の右側面を守りながら、右手を下前方へ差し込み、身体全体を深く沈み込ませる（94）。

92

94

93

第二十七勢　扇《せん》通《つう》背《はい》

海底針の姿勢から右の掌を返し、左の手は右脇の下から出す（95）。

続いて両手をずらしながら、左足を前に踏み出し（96）、伸びあがり両手を上に押しあげる（97）。これは両手の掌を頭上で上方に向けて構えて扇を広げた形である。

97

96

95

扇通背

98

99

100

第二十八勢　翻《ほん》身《しん》撇《へい》身《しん》捶《すい》

右手を拳に変え、左手を右の手首へ添える。左つま先を内側に回し、身体を右に一八〇度回転させて（98）右足を反対（西側）方向に踏み直す。その勢いで、右拳を上から打ちおろし（99）、続いて打った右拳は腰に、左手は前方を打つ（100）。

第二十九勢　退《たい》歩《ほ》搬《ばん》攔《らん》捶《すい》

右の拳を身体の右側から上へ跳ねあげた後、右上前方から打ちおろし、左手は掌を拳に変えて腰におく（101～103）。

103

102

101

退歩搬攔捶

104

105

106

次に右足を退歩しながら左の拳を跳ねあげ（104）、上前方から打ちおろし、右拳は腰におく（105～107）。

107

108

109

次に右拳を腰から打ち出し縦拳とし左手を右肘に添える（108）。

第三十勢　活歩《かっぽ》攬雀尾《らんじゃくび》

右の拳を開いて掌を外側に向け、横上方に回して頭部を守る。左掌は右手首に添える（109）。

次に左のつま先を外に向け、左手を添えたまま（110）右手は右腰のあたりを通り（111）、そのまま左のつま先の上まで移動させる（112）。

110

111

112

右足を出しながら（113）、左手を添えたままの右手を右斜め上方に跳ねあげる（114、「掤《ほう》」）。

　続いて、左足を大きく踏み出しつつ、身体を左にひねりながら「攌《り》」（115）を行い、動作を止めることなく右足を踏み出し、胸の前で「擠《せい》」とする（116）。最後に足の位置はそのまま、「双按《そうあん》」を行う（117）。

115

114

113

118

117

116

第三十一勢　單《たん》鞭《べん》

第六勢の斜單鞭と同様にして、身体を反対方向（東）に向き直して單鞭とする（118、その他の動作は第六勢の斜單鞭と同じ）。

119

120

121

第三十二勢　雲《うん》手《しゅ》（五回）

右足の踵を左足の土踏まずの前へよせる。右手は腰の高さで水平に左方向へ移動させる（119、雲手の一）。

続いて、右手を下から上へ時計回りに顔の前を通して円を描き（120）、左手は腰の高さで水平に右方向へおくり（121）、左手を顔の前を通して右手は下を通り（122）、左足を左方向に一歩進め、右手は左方向へもっていく（123、雲手の一）。

122

123

続けて右足を左足によせながら(124)、右手を時計と反対回りに顔の前を通して、左手は腰の高さで水平に動かし(125)、両手を右方向におく る(126、雲手の三)。同様に左手は顔の前を通り、右手は腰の高さで水平にする(127)。

125

124

127

126

128

129

左足を左方向へ一歩進め（128）、右足をよせて両手を左方向へおくり（129）、その次の動作で右手が顔の前にきたところで次の單鞭に移る（130～132）。

右手首を返して鉤手をつくり、左手は、すくいあげるようにして右手首内側あたりから身体をひねって東方へ一歩進め單鞭を行う。

132

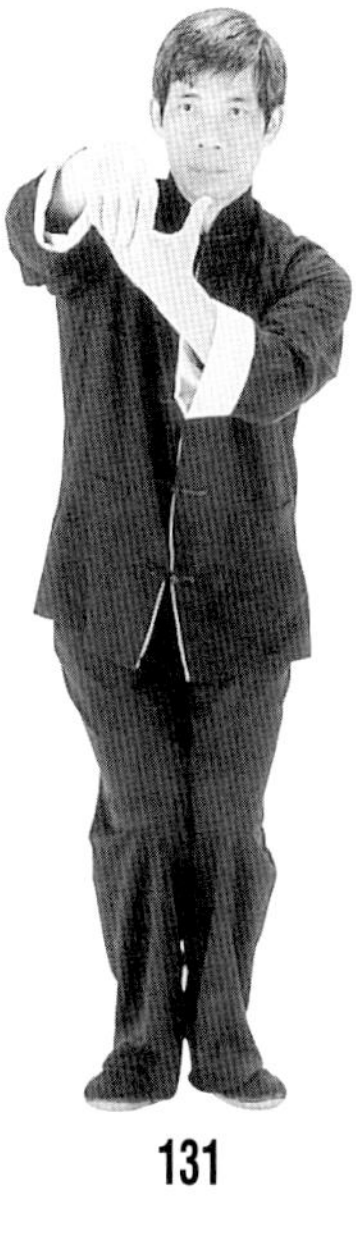

131

130

第三十三勢　單鞭《たんべん》

第三十一勢と同じ。

第三十四勢　右《みぎ》高《こう》探《たん》馬《ま》

左手を返して掌を上に向け、右手をこめかみの位置に構える（133）。左足を軽く引きつけてつま先立ちとなり、右手を左肘あたりから（134）、左腕の上をすべらせながら前へ押し出す。左手は引きつけて腰におく（135）。

135　134　133

單鞭　右高探馬

136

137

138

第三十五勢　右《みぎ》分《ぶん》脚《きゃく》

左手を再び前に押し出して右手と平行に構え（136）、両腕を腰の回転とともに右方向にひねる（137）。左手は右腕の下あたりで掌を返す。

続いて、左足のつま先を左側に向けて前方に踏み出す（138）。

同時に両手を左へ回し、両掌で頭部を守る（139・140）。

　両手を左右に広げると同時に右足を蹴り出す（141）。蹴った足は、左膝を守る位置に戻し、右掌は上に向ける（142）。

140

139

141

142

第三十六勢　左《ひだり》高《こう》探《たん》馬《ま》

右足を一歩前に着地し、右高探馬と逆の動作で左手を右肘から（143）前へ押し出し、右手を腰におく（144）。

143

144

第三十七勢　左《ひだり》分《ぶん》脚《きゃく》

右手を前に押し出して左手を右手と平行に構え（145）、両腕を腰の回転とともに左方向に九〇度ひねる（146・147）。

147

146

145

右掌を返して左腕の脇の下へ置く（148）。

続いて、右足のつま先を右に回すと同時に、両手を右へ回し、両手首を合わせ両掌で頭部を守る（149）。

両手を左右に広げると同時に左足を蹴り出す（150）。

第三十八勢　轉《てん》身《しん》蹬《とう》脚《きゃく》

左足を右足の踵の外側後方へつま先で着地させる（151）。そして左つま先と右足を軸にして左回りで転身（152・153）。

153

152

151

154

155

156

腰を沈め、右手を上にして両手を交差させてから腰をひねりながら右にあげる（154〜156）。

身体を起こしながら、両手を右側頭部の位置にあげると同時に左膝をあげる（157）。続いて、両手を広げると同時に踵で前方を蹴る（158）。蹴った足は、そのまま戻す（159）。

157

158

159

摟膝拗歩

160

161

162

第三十九勢　摟《ろう》膝《しつ》拗《よう》歩《ほ》（二回）

左足をおろし左手を顔の前から左膝へと大きく払い、同時に右手をこめかみの位置に構え（160）、右手を前方に押し出す（161、摟膝拗歩の一）。

続けて、左足のつま先を外側に向け、体重を左足に移動しながら左手を外側からあげる（162）。

右手は掌を内側に向けて、ひねって顔の前へ立てる。右足をあげて足の甲で左足の膝を守るようにして、左足で立つ（163）。

次に、右足を一歩前に着地しつつ、右手で前を左から右へと大きく払いながら（164）、左手を前方へ押し出す（165、摟膝拗歩の二）。

165

164

163

166

167

第四十勢　提《てい》腿《たい》栽《さい》捶《すい》

右足のつま先を外側に回し、両手の掌を上に向けて右手が下になるように身体の前で重ね合わせ（166）、下から円を描いて左右に大きく広げ、同時に左膝をあげる（167）。左足の踵を前下方を踏みつけるようにおろしながら（168）そのまま右手を拳にして耳の脇に構え、左掌をそこに添える（169）。その勢いで右の拳を耳から斜め下へ打ち出す。左手は右手の肘のあたりに添える（170）。

168

169

170

第四十一勢　翻《ほん》身《しん》撇《へい》身《しん》捶《すい》

左手を右拳の手首に添え、左足先を内側に回し、両腕を頭上にあげ九〇度身体を右側に向ける（171）。

さらに右足を九〇度踏み変え、そこから右拳を打ちおろす（172）。右拳はそのまま腰にとり、右手の動きにともなって、左手は掌側を下に向けて前方に打ち出す（173）。

173

172

171

翻身撇身捶

174

175

176

第四十二勢　上《じょう》歩《ほ》右《みぎ》高《こう》探《たん》馬《ま》

右の拳を開いて（174）耳元に構え、左手は掌を上へ向ける。このとき、右足のつま先を外側に開き、左足を右足によせる（175）。そこから左足を踏み出し、右手は左肘から（176）前方へ打ち出し、左手は腰に戻す（177）。

第四十三勢　右《みぎ》分《ぶん》脚《きゃく》。

第三十五勢に同じ（178・179）。

179

178

177

右分脚

180

181

182

第四十四勢　退《たい》歩《ほ》右《みぎ》打《だ》虎《こ》勢《せい》

蹴り出した右足を右斜め後方に引いて着地（180）。左足のつま先を内側に回しながら両掌を腹の前で向かい合わせ（181）、次に両手を拳にしながら（182）、

183

184

右拳を立て、左拳を右肘上方に添える（183）。右拳をひねりあげながら、左拳を右前方に打ち出す（184）。

第四十五勢　右《みぎ》貫《かん》拳《けん》

右の拳を耳のあたりに移し（185）、上体を元の方向（東）に戻しながら右拳を打ち出す。このとき、左拳は右の脇の下あたりにおく（186）。体重は右足に乗せ、左足はつま先立ちとなる。

186

185

第四十六勢　退《たい》歩《ほ》左《ひだり》打《だ》虎《こ》勢《せい》

腰を落として右拳で頭を、左拳で腹を守る（187）。そこから左足を左斜め後方に引き、右つま先を内側に回し、両拳を腹の前で向かい合わせる（188）。

188

187

左方向を向き（189）、右打虎勢と同じように左拳を立て（190）、右拳を前方に打ち出す（191）。

189

190

191

退步左打虎勢

左貫拳

192

193

第四十七勢　左《ひだり》貫《かん》拳《けん》

左つま先を内側に入れながら、左拳を耳の位置に（192）、振り返りながら左拳を前方に打ち出す（193、第四十五勢の反対の動作）。

194

195

196

第四十八勢 右《みぎ》蹬《とう》脚《きゃく》

右の拳の背を左の肘あたりから（194）、前方にずらしながら左の拳まで運び、両拳の背を合わせ（195）、続いて右手を反転させ、再び手の甲を合わせ両掌を開く（196）。

両手を合わせたまま左へ回し（197）、身を起こして頭を守り（198）、右膝をあげた形から（199）、両手を広げながら右足の踵で蹴る（200）。

198

197

200

199

第四十九勢　雙《そう》風《ふう》貫《かん》耳《じ》

蹴った右足は着地せず、右膝を曲げ、両手の拳で膝の両側を払い（201）、そののち、右足は右斜め前方（南東方向）に着地し（202）、両手は拳のまま外から円を描いて相手の両耳を拳で挟むようにして打つ（203）。

201

202

203

雙風貫耳

204

205

206

第五十勢　坐盤勢《ざばんせい》

両拳を両掌とし、返して自分の顔の方に向け、右膝の両脇を払い、右足つま先を外側に開きながら両手を大きく内から外に円を描いて回し、再び顔の前を守る（204）。

続いて、左の膝を右の膝の後ろにあて、腰を落とし、両手首を右手を上にして交差させ（205）、下を押さえる（206）。

第五十一勢　披《ひ》身《しん》踹《たん》脚《きゃく》

両手首を折り身体を起こしながら（207）両手を顔の高さまであげて顔を守る（208）。そこから左足をあげ（209）、両腕を広げながら（手首はやや内側に曲げる）左斜め下前方（南東方向）へ左足の外側を使うように蹴り出す（210・211）。

209

208

207

披身踹脚

210

211

第五十二勢　轉《てん》身《しん》右《みぎ》踩《さい》脚《きゃく》

右に転身して蹴った左足を右足の前へおろし（212）、両手をいったん腰に付ける。このとき、体重は左足に乗せ、右足はつま先立ちとなる（213）。

続いて、右足つま先を前方（北東方向）に移動し、腰を落としながら左手を上にし両手首を交差させて前へ差し出す（214）。

214

213

212

215

216

217

次に両手をあげてから（215）顔の左側を守り（216）、右膝をあげる（217）。

218

219

220

次いで右足を、下方に蹴り出しながら右手を前に打ち出し左手は頭上を守る（218）。

右足を着地し、右掌を頭の前に構え、左手を腰のあたりから（219）前方に向けて突き出す。このとき、体重を右足に移動する（220）。

そして、左足を踏み出し、両掌の向きを逆にしながら両手を後ろへ送る（221）。そのまま両手を前方へ移動させながら、やや身体を左へひねる（222・223）。

223

222

221

並歩進歩搬攔捶

224

225

第五十三勢

並《へい》歩《ほ》進《しん》歩《ぽ》搬《ばん》攔《らん》捶《すい》

右足を前に出し、足を揃えて左拳を前に、右拳は腰にとる（224）。左拳をおろす（225、第十二勢に同じ）。

第五十四勢　如《じょ》封《ふう》似《じ》閉《へい》

第十三勢に同じ。

第五十五勢　十《じゅう》字《じ》手《て》

第十四勢に同じ。

第五十六勢　斜摟《ななめろう》膝《しつ》拗《よう》歩《ほ》

第十五勢に同じ。

第五十七勢　轉《てん》身《しん》抱《ほう》虎《こ》歸《き》山《ざん》

第十六勢に同じ。

第五十八勢　攬《らん》雀《じゃく》尾《び》

第十七勢に同じ。

第五十九勢　斜《しゃ》單《たん》鞭《べん》

第十八勢に同じ。

227

226

第六十勢　野《の》馬《ま》分《ぶん》鬃《そう》（三回）

左足を内側に回しながら左手を右肩の前に運び、右手は左前方へ移動する。このとき、左手は顔の右側を守り、体重は左足に移動する（226）。

続いて右足を横（西方向）に踏み出し、右掌と左掌を互いに向けた形から両手を斜め上下に広げる。このとき体重は右足に移動する（227、野馬分鬃の一）。

228

229

230

次に右足のつま先を外側に開いて身体を一八〇度右に向け、左手を鈎《こう》手《しゅ》にして身体の前へ、右手は顔の前に置いて掌で顔を守る（228）。左足を右足によせてから（229）、前の動作と同様に両掌を向けた形から、左右に広げる（230、野馬分鬃の二）。

231

232

233

左右を入れ替えて同じ動作をする（231～233、野馬分鬃の三）。

第六十一勢　玉《ぎょく》女《じょ》穿《せん》梭《さ》（四隅）

右のつま先を外側に開き身体を右方向に回す。右掌を外側に向けて頭を守り、同時に左の手を身体の前方に伸ばす（234）。左足を右足によせ、左手を立てて、右手は左肘に添える（235）。

次いで左足を斜め前方（南西）に踏み出し、左掌を上に向け顔を守り、同時に右手を前方に打ち出す（236、玉女穿梭の一）。

236

235

234

左のつま先を深く身体の内側に向けながら身体を右（北東）に向け、右腕を立てて、左手を右肘に添え（237）、右足を左足に引きよせてから、さらに身体を転換して（238）右足を斜め後方（南東）に一歩踏み出し、右掌を上に向け頭を守る。同時に左手を前方に打ち出す（239、玉女穿梭の二）。

239

238

237

玉女穿梭

240

241

242

左足を右足によせると同時に、両掌を内側にして頭を守り（240）、続いて右手を左肘に添えた形から（241）、左足を斜め前方（北東）に踏み出しながら、左掌を上に向けた形で頭を守り、右手を前方へ打ち出す（242、玉女穿梭の三）。

243

244

245

左足のつま先を内側に回し身体の向きを右（南西）に向け（243）、右足を左足に引きよせる（244）。「玉女穿梭の二」と同様に、さらに右回りに転換して右足を斜め後方（北西）に踏み出しながら右掌を上にして頭を守り、左手を前方に打ち出す（245、玉女穿梭の四）。

第六十二勢 墊《てん》歩《ぼ》攬《らん》雀《じゃく》尾《び》

左掌を上に、右掌を下に向け、左下方に「採《さい》」（246）。次に、右前に「掤《ほう》」をしながら左足を半歩引きつけ（247）、続いて左方向に「𢹂《り》」を行う（248）。

248

247

246

さらに右足を半歩踏み出して、胸の前で「擠《せい》」を打つ（249）。続いて両手を下から上へ運び、双按《そうあん》へと続ける（動作は基本的に、第五勢の攬雀尾と同じ。足を半歩ずつ動かす方法を「墊歩《てんぽ》」という）。

249

第六十三勢　單鞭《たんべん》

第三十一勢に同じ。

第六十四勢　雲手《うんしゅ》（五回）

第三十二勢に同じ。

第六十五勢　單鞭《たんべん》

第三十一勢に同じ。

250

251

第六十六勢　下勢《かせい》

右足のつま先を外側に開くと同時に体重を右足に移動する。右膝を曲げて身体を下方に深く沈み込ませながら、左手は顔の前を通してから(250)、左足のつま先の内側へ伸ばす。このとき、右手はねじって鉤手《こうしゅ》の指先を上に向け高く差しあげる(251)。

第六十七勢　左《ひだり》金《きん》鶏《けい》獨《どく》立《りつ》

左のつま先を外へ開き、左足に体重を移しながら（252）、右足をよせ左手を胸の前に構え、右手は掌を上に向けて腰にとる（253）。続いて左膝を伸ばしながら右膝をあげて左膝を守る。このとき右手は、斜め上に突き出し、左掌は右肘の下に置く（254）。

254

253

252

左金鶏獨立

255

256

第六十八勢　落《らく》歩《ほ》右《みぎ》劈《へき》面《めん》掌《しょう》

右足を前方に踏み出すと同時に、右掌を返して前方を打つ（255）。

第六十九勢　右《みぎ》金《きん》鶏《けい》獨《どく》立《りつ》

体重を右足に移動し、左足をあげ片足立ちとなる。同時に、右掌を返して内側へ向け、左手の甲を右腕外側を擦らせながらあげる。左手が右手を抜けるあたりで手を返し、掌を内側に向けて手を立て、右手は左肘内側に添える（256）。

第七十勢　順歩《じゅんぽ》倒攆《とうれん》猴《こう》（三回）

右足で立ち、左足をあげた状態で、右手側面を前方やや下へ打ち出し、左手は顔の左側面に構える（257）。

続いて、左足を後ろへ着地しながら左掌で前方を打つ。このとき、右手は身体の横に置く（258）。

次に、右手を後ろに回し左掌は上に向け（259）、右手は耳元に構え（260）、左手は前に差し出したまま、右手を一度左掌に合わせてから指先で前方を突く（261）。同時に左手は腰に引きよせる（262）。

259

258

257

順步倒撐猴

260

261

262

右掌を上に向けながら、左手を後ろへ回して（263）、右足を左足に引きよせながら左手を耳元に構える（264）。

続いて、右足を後退させながら左掌を右掌に合わせた形から（265）、左手を打ち出し右手は腰に引きよせる（266）。右掌を後ろに回し左掌を上に向け、右掌を耳元に構え（267）、続いて左足を後退させながら右手指先で前方を突く。同時に左手を腰に引きよせる（268）。左右反対の動作を行う。

265

264

263

266

267

268

斜飛勢

269

270

271

第七十一勢　斜《しゃ》飛《ひ》勢《せい》

順歩倒攆猴の三回目で腰に引きよせた左手を後ろに回して上へ大きく跳ねあげる（269）。左足を右足へよせ、左手を上方から下方に差し込み、右膝のあたりに置くと同時に、右手を顔の左側によせて掌で顔を守る（270）。

次に左足を斜め前（北東方向）に一歩踏み出しながら左手を下から上に跳ねあげる。このとき左手の指先は上方を向き、右手は腰の前で下方をおさえ、体重はやや後ろにかける（271）。

第七十二勢　左《さ》右《ゆう》搬《ばん》攔《らん》

第七勢に同じ。

第七十三勢　提《てい》手《しゅ》上《じょう》勢《せい》

第八勢に同じ。

第七十四勢　白《はっ》鶴《かく》亮《りょう》翅《し》

第九勢に同じ。

第七十五勢　摟《ろう》膝《しつ》拗《よう》歩《ほ》

第十勢摟膝拗歩の一に同じ。

第七十六勢　海《かい》底《てい》針《しん》

第二十六勢に同じ。

第七十七勢　扇《せん》通《つう》背《はい》

第二十七勢に同じ。

第七十八勢　翻《ほん》身《しん》撇《へい》身《しん》捶《すい》

第二十八勢に同じ。

第七十九勢　上歩《じょうほ》搬《ばん》攔《らん》捶《すい》

右の拳を身体の右側から前方へ跳ねあげた後（272）、ひねりおろし（273）、左手は拳に変えて腰にとりながら（274）、右足のつま先を外側に開き、左足を前に踏み出しながら、左の拳を身体の左側から跳ねあげ、そのまま左拳を前方へ運び、ひねりおろし、右拳は脇腹に構える（275～277）。

274

273

272

275

276

277

次に右拳を前方に打ち出し、左手は打ち出した右手の肘の上に軽く添える（278、足を前方に運ぶか後方に運ぶかの違いだけで、他は第二十九勢の退歩搬攔捶と同じ動作）。

278

第八十勢　上歩《じょうほ》攬雀尾《らんじゃくび》

足の運びが一つ少ない他は、第三十勢の活歩攬雀尾と同じ。

第八十一勢　單鞭《たんべん》

第三十一勢に同じ。

第八十二勢　雲手《うんしゅ》（三回）

第三十二勢と同じ。ただし、ここでの繰り返しは三回。

第八十三勢　單鞭《たんべん》

第三十一勢に同じ。

第八十四勢　提《てい》腿《たい》高《こう》探《たん》馬《ま》

右足を前に半歩引きよせて右手を耳元に構え、左掌を上に向ける(279)。左足をあげ同時に、右手を左腕の上面を滑らせ(280)、手の側面で前へ打ち出し右膝を守る。左手は腰に引きよせる(281)。

281

280

279

第八十五勢　落《らく》歩《ほ》左《ひだり》劈《へき》面《めん》掌《しょう》

左手をいったん右手の甲の上を擦って斜め上方へ突き出し（282）、左足を前方に着地し、さらに左掌を返して前方やや下方に打ちおろす。右手は左肘の下に置く（283）。

282

283

落歩左劈面掌

284

285

第八十六勢　轉《てん》身《しん》單《たん》擺《はい》脚《きゃく》

右手を左肘の内側の上に乗せ、左手を返し掌を内側に向けながら、左のつま先を内側に回すと同時に身体をひねって右手を右側まで運ぶ（284・285）。

286

287

次いで右足を蹴りあげる（286）と同時に左手を左方向に流して左手の甲と右足の甲とを打ち合わせる（287）。

上歩指襠捶

288

289

290

第八十七勢 上歩《じょうほ》指《し》襠《とう》捶《すい》

蹴った右足はそのままつま先を外に向けて右方向（西側）に踏み出し、左手を身体の軸を中心として大きく回して右足の方向に伸ばし、右手は大きく下から後方に回して大きく両腕を広げる（288）。左足を西方向に一歩踏み出しながら、右手を拳にして耳の位置から（289）、前方へ打ち出し、このとき左手を右手の肘の脇に添える（290）。

第八十八勢　上歩攬雀尾《じょうほらんじゃくび》

第八十勢に同じ。

第八十九勢　單鞭《たんべん》

第八十一勢に同じ。

第九十勢　下勢《かせい》

第六十六勢に同じ。

第九十一勢　上歩《じょうほ》七星《しちせい》

左のつま先を外側に開き、体重を左足に移動させながら（291）身体を起こして右足を一歩前に進めて（292）つま先立ちとする。同時に、右手を下から左手の下方に合わせ、手首の位置で交差させて額の前に構える（293）。

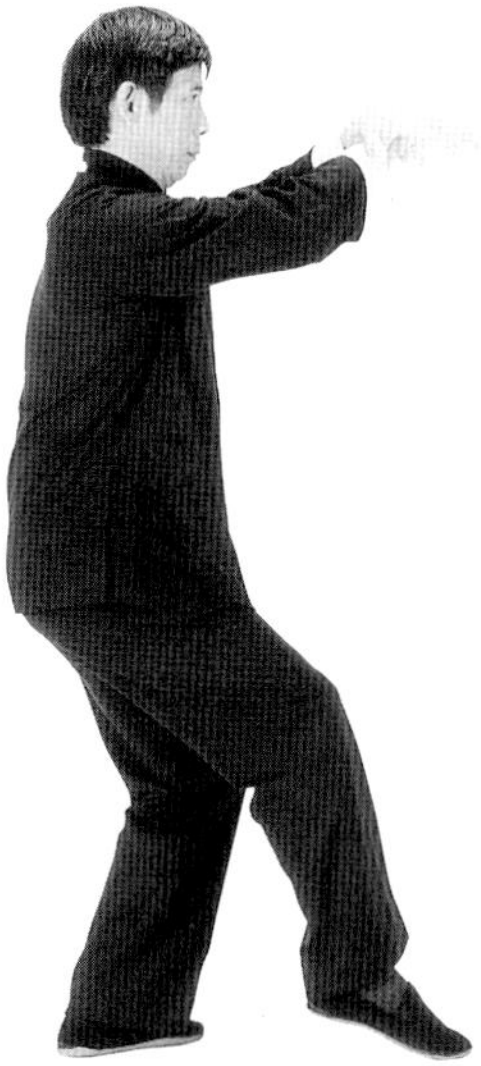

293

292

291

294

295

第九十二勢　退歩跨虎《たいほここ》

両手を左へ送り、両掌を広げて左側頭部を守る（294）。そのまま両手をさげ（295）、右足を右肩方向（南方）へ踏み出す。このとき右手は大きく下方から回しあげて右足の方向に切りあげる。このとき左手は鈎手《こうしゅ》にする。

退歩跨虎

296

297

298

続いて、右足のつま先を外側に開き、体重を右足に移しながら右手を跳ねあげ（296）、左足を前へ一歩進めつま先立ちとする（297）。次に右手は掌で前方を、左手は鉤手《こうしゅ》のまま後方を打つ（298）。

轉身左劈面掌

301

300

299

第九十三勢　轉《てん》身《しん》左《ひだり》劈《へき》面《めん》掌《しょう》

　左の踵を地につけ、左手の掌を上にして腰にとり、左足をそのままで、右足のつま先を軸に大きく右方向へ身体を回す（299）。左足を右足つま先の前に移動させ、左手を前へ突き出し、右手は左肘の下に置く。

　次に左手掌を返して外向きとしながら身体を左（西）方向にふり戻す（300）。

第九十四勢　雙《そう》擺《はい》脚《きゃく》

　一八〇度反対の右方向へ身体を回すが、この動作の途中で、両手を平行に構える。

302

303

304

右方向に回した両手を返して手の甲を下に向け、右足をあげて蹴り回すと同時に両手を左方向に流し、右足と両手の甲とを打ち合わせる（301～304）。

305

306

第九十五勢　彎《わん》弓《きゅう》射《しゃ》虎《こ》

蹴った右足を斜め後方（南東方向）に着地する。両手は左斜め前方（北西）で左手を上に右手を下にして掌を向かい合わせる（305）。

体重を左足から右足に移動させながら身体を右方向へ回すと同時に、両手を握りながら右の腰へ引きよせる（306）。

彎弓射虎

307

308

次いで、右足を踏みかえて体重を右足に移動させながら、右拳を上段に、左拳を下段にして、両拳を上部で構える（307・308）。

繞歩搬攔捶

309 310 311

第九十六勢　繞《ぎょう》歩《ほ》搬《ばん》攔《らん》捶《すい》

彎《わん》弓《きゅう》射《しゃ》虎《こ》の体勢から踵を軸にして、両方のつま先を左方向に回しながら体勢をもとに戻す。このとき、両手は拳のまま身体の前を通って左方向へ回す（309）。

体重をさらに左に移動して、右足を左足によせた後、北東の方向に踏み出す。両拳は左上方から右下方へと大きく時計回りの円を描いて拳を打ちおろし（310）、右手はそのまま腰に引きよせ、続いて左足を一歩前に踏み出し（311）、右拳を前方へ打ち出し、左手は開いて右肘の上に添える。

第九十七勢　如《じょ》封《ふう》似《じ》閉《へい》

第十三勢に同じ。

第九十八勢　十《じゅう》字《じ》手《て》

第十四勢に同じ。

312

第九十九勢　合《ごう》太《たい》極《きょく》

両手をさげ、下腹の前で両手を外側から内側に向かって左右に八回ほど振った後（313～318）、上へあげる。

315

314

313

316

317

318

最後にあごひげをなでおろすような形で両手をゆっくりとおろし、両手の虎口《ここう》を身体の横につける（319～322）。

320

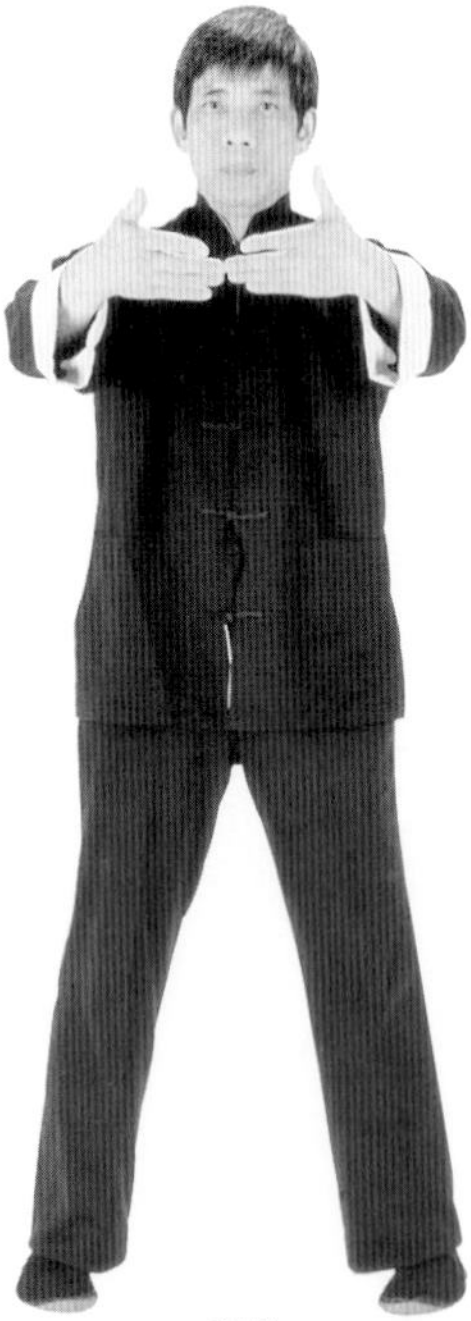

319

321

322

達人たちのエピソード・郭《かく》雲《うん》深《しん》

郭雲深《かくうんしん》は形意拳《けいいけん》における名人と言われた人物の一人である。身長は低かったが精力は比類なく、李洛能《りらくのう》門下の最高の弟子となった。

しかし、柔拳《じゅうけん》を習う前の彼は、性が剛直で腕力を頼んでしばしば粗暴になるので、最初は李洛能から教えることを断られた。郭はそれでもあきらめず、苦力《クーリー》に身をやつして工事中の李の家に潜り込み、拳法を盗み覚えた。それが形意拳の中の崩拳《ほうけん》だった。その後、一人研究し崩拳一本槍の練習すること三年、再び李を訪れ修業の成果を見せた。李は郭の崩拳を見て感心した。その崩拳のすべてが形意拳の理にかなっており、郭の並々ならぬ才能と志を知ったのである。李は郭の入門を許可し、改めて形意拳を教え、やがては秘伝をことごとく伝授したという。

郭雲深の崩拳は有名で天下無敵といわれた。それも敵に対して半歩進むのみで倒すので、「半歩崩郭」の異名をとった。強いばかりでなく、信義に厚く、後輩や門人たちの敬慕も集めていたという。私は王樹金老師より数々の武勇伝を伺ったが、郭雲深の話にはすごいものがある。

郭雲深は他流派の拳師に試合を申し込まれた。立会が始まり、崩拳で強く当てると相手は血を吐いて死んでしまった。この時、この他流試合に立会人を立てていなかったのが禍《わざわ》いした。中国では現在でもこの習慣があるが、立会人をたてれば武術家の試合はたとえ相手が死にいたっても法的に咎《とが》められることはなかった。しかし、立会人がいなければ武術の立会として認められない。殺人事件と見なされるのである。かくして、郭雲深は木型の手枷《てかせ》をはめられたまま三年間投獄されることになってしまったのである。

三年経った出牢の日、殺された拳師の高弟たちがかつての恨みをはらさんと郭雲深に挑んだ。「いかな郭雲深でも手枷の牢獄生活では練習もままになるまい、さぞや体力を落としているだろう」と、彼らは見込んでいた。ところが、一斉に襲いかかる彼らを郭雲深はあっという間に撃破してしまった。彼らを襲ったのは、獄中三年間ひたすら鍛練に打ち込んでいた虎形の拳（注1）であった。虎形は両拳を同時に胸元に引きつけ、次に同時に打ち出す拳法だ。手枷があっても、充分練習可能だったのである。郭雲深は、三年の空白をこの一件で一掃してしまったということだ。

（注1）形意拳の動物の性格を表して作られたといわれる十二形《じゅうにけい》のひとつ。

資料編

第一章　正《せい》宗《そう》太極拳の伝導者・王《おう》樹《じゅ》金《きん》老《ろう》師《し》

第一節　日本の太極拳の祖 王樹金老師《おうじゅきんろうし》とは

　今や日本に広く普及し、多くの人々が健康法や護身術として修練を積んでいる太極拳。この技を初めて正式に日本に伝えたのは、中華民国（台湾）の文化使節として来日した王樹金老師《おうじゅきんろうし》である。

　老師は太極拳のみならず、中国柔拳《じゅうけん》の代表的拳法である形意拳《けいいけん》、そして同じく柔拳の最高峰の奥義である八卦《はっけ》掌《しょう》の大家であった。老師来日のいきさつに関しては、台湾の総統・蒋介石《しょうかいせき》と親交のあった頭山泉《とうやまいずみ》氏（注1）から、次のように聞いている。

　中国文化に造詣の深い泉氏は、中国に対する日本人の意識の低さを憂えていた。かつて、日本は中国の先進文化に学び、自国の精神文化を豊かにしてきたが、こうした伝統を日本国民に理解してもらうために、もっともふさわしい人物を中国から招聘したいと考えていた。

　蒋介石が、王樹金老師を「文化使節」として日本に派遣したのも、中国伝統の拳法を日本に紹介する上で、中国を代表して活躍できる人物を立てようとしたからであった。同時に、武道の国である日本に派遣する人物は、やはりその道を極めた人物でなければならなかった。王樹金老師が来日した昭和三〇年代、日本は表面的には戦後の復興をとげつつあったが、日本人の内面では、まだ敗戦の傷跡が完全に癒えていなかった。アメリカには負けたが、「中国、何するものぞ」という気持ちが、まだ日本人の心の中には少なからず残っていた。そのため、中国拳法界を代表する人物が来日した暁《あかつき》には、日本の武道家の挑戦を受ける可能性は大いにある。そこで負けたら、日本における中国拳法の評判は一気に地に落ち、中国人民を蔑視する風潮はとても拭い去れない。中国の伝統文化を知らしめることで日本人からの尊敬を集め、日本との友好の礎《いしずえ》を築けるような人格者、そして、どんな武道の達人と対戦しても、敗れることのない拳法家——そこで白羽の矢が立ったのが、王樹金老師だったとのことである。

　案の定、王樹金老師が来日した際には、腕に覚えのあ

王樹金老師は、その圧倒的な強さにもかかわらず、謙虚で品格高く、物腰の柔らかな紳士だった

る武道家たちが次々に対戦を挑んできた。その最初の舞台が、東京・日比谷公会堂における各流武道大会だった。著者も王樹金老師の表演を拝見しているが、その驚異的強さには心底圧倒された。太極拳など一通りの演武を終えた老師は、大胆にも自ら会場に呼びかけた。「我と思わん者は、私を突いてきなさい」。その言葉を聞いて、数人の屈強な武道家が壇上にあがり、次から次へと老師に挑みかかった。渾身の力を込めて老師の腹を突く者は、次の瞬間舞台の袖まで弾き飛ばされた。奇声と共に大腿部を蹴った者は足を押さえてうずくまり、その場にへたりこんだ。しかも、身体を痛めたのは老師ではなく、蹴りや突きを放った武道家たちの方であり、結局、多くの者たちが手首を挫《くじ》いて腫《は》らす結果となった。一方、老師は武道家たちの突きや蹴りが身体に容赦なく打ち込まれても、微動だにすることなく、泰然《たいぜん》自若《じじゃく》としており、日本武道家たちに大きな衝撃を与えた。

かつて老師が台湾で、当時ヘビー級世界チャンピオンのジョー・ルイスから挑戦を受けたとき、まずルイスに自分の腹を突かせたところ、ルイスが対戦を取りやめたというエピソードがある。「褐色の爆撃機」と恐れられ、パンチで牛を殺すといわれたチャンピオンが対戦を断念するほどであれば、一介の武道家の打撃が効かないのも当然である。

このときは、なぜ老師があれほどの攻撃を受けながら平然としていられるのか不思議でならなかった。きっと特別な鍛錬を身体に施しているのだろうと思っていたが、実はそうではなく、相手の拳打や蹴りが身体に当たる寸前に、その部位に「気」を送り込んでいたのである。まさに前述した「気の鎧《よろい》」の効果であり、ルイスも、気の鎧をまとった老師への対戦が無駄であることを悟ったの

自衛隊の屋上にて空手の教官の拳を受ける王老師。教官はその後手首を捻挫したという。王樹金老師による太極拳の強さは、当時日本武道界に大変な衝撃を与えた

であろう。

また、ある年には、舞台の上で老師に勝負を挑んだ日本武道家もいた。しかし、勝負はあまりにもあっけなかった。奇声もろとも襲いかかった武道家は次の瞬間、大きく弾き飛ばされ、転がった。今思うと、これは形意拳の「劈拳《へきけん》」だったようだ。武道家の攻撃は老師の左手で制され、同時に出されたなにげない一撃は相手の胸に入ったのだが、その威力たるや凄まじいものであった。

王樹金老師の拳打は、地元台湾では、「王樹金老師に打たれると瀕死《ひんし》の重傷を負う」と恐れられるほどの一撃である。だが挑戦した日本の拳法家たちが、もちろんそんな評判を知るはずもない。

日本武道界は、王樹金老師の信じ難いような光景を目の当たりにし、大いに震撼させられたのである。

無論、こうした実戦ばかりではない。王樹金老師は、表演においても、中国拳法の奥深さを十分に日本の拳法家たちの目に焼き付けた。太極拳の動きは、空手や柔道を見慣れた日本人にとって、「これが武術の型か」と驚くほどゆっくりとした優美な動きである。明治神宮での奉納演武の際、足場の悪い玉砂利《たまじゃり》の上でその動きに微塵《みじん》の狂いも生ぜず、蹴りを放っても微動だにしない安定感に、

我々観客は、感嘆の声をあげたものである。

その後、王樹金老師は何度か日本を訪れることになるが、来日するたびに、その名声は高まるばかりであった。台湾で無敵を誇る老師は、日本でもやはり無敵であったのである。そのため、日本の武道界では、中国拳法界の象徴のような達人である老師を倒せば、世界一の強さを証明できると考える風潮さえ生まれる始末であった。ある空手の世界チャンピオンなどは、老師が在宅していることを確認した上で、試合を挑んできた。このとき老師は少しも慌てることなく滞在していた家の庭に空手家を導き、静かに相対した。相手は気合いもろとも老師に襲いかかり、得意の蹴りを放つ。しかし瞬間、蹴りは軽くよけられ、老師の右掌による一撃で空手家は大きく弾き飛ばされてしまった。実にあっけない幕切れであった。

空手家の考えでは、試合というものは当然、技の応酬で勝負が決するはずであっただろうし、一撃でやられたことに実力の差をまざまざと見せつけられた思いがしただろう。結局、彼は後に老師に入門を乞うことになる。

このほか、テレビの企画で老師は黒人のプロボクサーと対戦したこともある。このときも、勝敗は老師の八卦掌の技一つで決した。相手の技を見極め、一撃で倒すと

王樹金老師の強さを伝えるエピソード

王樹金老師には、その武術の強さを物語るエピソードが数多くあるが、そのうちの有名なものをまとめてみた。

（台湾で）

- 1954年、世界ツアーで台湾に来ていた米国のヘビー級ボクシング王者、ジョー・ルイスの挑戦に応じる。ルイスは王老師にパンチの一撃を浴びせたが、老師が微動だにしないことに驚き、対戦を取りやめた。ルイスは王老師に強い感銘を受け、二人は堅い友情を結んだという。
- 少林拳最強の使い手と言われた洪氏の挑戦を受け、一撃でこれを退けた（P252参照）。

（日本で）

- 来日の際、東京・日比谷の各流武道大会で演武を披露した後、会場にいた武道家たちに腹を突かせ、平然としていた。
- 日本でトレーニング中のジャック・デンプシー（米国のプロボクサー。当時の世界ヘビー級王者）に腹を突かせ、デンプシーは手首を痛めたという。デンプシーは感銘し、その後、西洋の多数の練習生を王老師の元へ送り込んだ。
- 自衛隊で空手の教官に腹を突かせた。その教官は手首を捻挫した（P234写真参照）。
- 滞在先で著名な実践空手家の挑戦を受け、一撃でこれを退けた。

CIAのロバート・スミスに腹を突かせている王樹金老師。

1957年、王樹金老師の柔拳指導2周年に感謝して台湾の彰化在住の弟子たちが一堂に会した時の記念写真。前列中央・王樹金老師。ほかに張峻峰（前列左より3人目）、黄金生（3列右より6人目）等の顔ぶれが見られる

ころが老師の凄さであった。私も数々の秘術を老師より伝えられたが、実戦で用いるのはその中の一撃でしかない。その一撃を瞬時の判断で繰り出せるところが、達人たるゆえんなのである。

その後も多くの弟子を持つ著名な日本人武道家が、弟子に凌駕《りょうが》されることがないよう、護身用に老師の武術を身につけようと入門してきた。中には名前や経歴を伏せて入門してくる者も数人いた。

このようなエピソードに照らして考えてみれば、王樹金老師の来日は、蔣介石の狙いどおりであったと言えるだろう。いや、むしろその期待以上に老師が日本に遺した功績は大きい。

その後さまざまな中国拳法が日本に伝えられ、今日これほど多くの日本人が中国拳法に慣れ親しんでいるのである。ブルース・リーなどが登場するはるか以前に、日本に中国拳法を伝え、かつ底知れぬその強さで日本人を圧倒した達人がいたという事実をここに書き記した上で、次にこの王樹金老師の生い立ちを紹介したい。

（注1）民族主義者であり孫文《そんぶん》の亡命の援護者だった頭山満《とうやまみつる》の次男。古武道振興会会長を務め、戦後の日本武道界に果たした役割は大きかった。

第二節　日本における太極拳の黎明期

王樹金老師《おうじゅきんろうし》は一九〇五年六月二十日、天津《てんしん》に生まれた。字《あざな》を恒蓀《ほんすん》といい、天津での俗称は王六である。武道の盛

王樹金老師初来日の仲介者である農学博士の呉柏堂氏（写真右）左は筆者

んなこの地で幼い頃から拳法を学び、達人の誉れ高い張《ちょう》兆東《ちょうとう》先師に十六歳の時に拝師（正式な弟子となる儀式を行い、本格的な修行に入ること）をし、形意拳と八卦掌を究める。また王薌齋《おうこうさい》先師や、李存義先師の教えを受けている。さらに、張先師の紹介で師伯の蕭海波《しょうかいは》先師につき、董海川《とうかいせん》の八卦掌奥義《はっけしょうおうぎ》が、蕭先師を通じて王老師に伝授された。

時を経て、第二次世界大戦後の一九四九年、妻子を大陸に残して単身で台湾に渡った老師は、終南門派《しゅうなんもんぱ》の練武《れんぶ》場《じょう》・誠明国術館《せいめいこくじゅつかん》を設立、ここで数百人の学生を指導した。駐留米軍から、「中国武術を見たいから武術家を紹介してほしい」と政府に要請があると、派遣されるのは常に王樹金老師だったといわれるほど、その信望は厚かった。また老師は易理、老子荘子の学、宗教哲学等も深く研究し、名利には淡白で謙虚有礼であった。

老師の初来日は一九五九年、農学博士・呉柏堂氏の仲介により実現した。翌年、頭山泉氏の招聘要請を受け蔣

第七回

各流武道大会

とき　昭和36年6月3日　正午より4時まで
ところ　日比谷公会堂（入場無料）

主催　全日本杖道連盟

後援　朝日新聞社・東京都剣道連盟
日本古武道振興会・東京都教育委員会

王樹金老師が日本武道界に衝撃を与えた各流武道大会のパンフレット

介石の指示により、文化特使として再来日を果たす。

日比谷公会堂で行われた各流武道大会においては、日本武道界に正式に王樹金老師の太極拳が紹介され、それ以後も数度にわたり演武を披露している。

この大会のプログラムには、後援者の欄に武道関係者のみならず、作家の吉川英治をはじめ、政財界、報道界のそうそうたる面々が居並んでいる。

その後、一九八〇年まで計二十一回の来日を重ねた王樹金老師は、太極拳・形意拳《けいいけん》・八卦掌の普及に尽力する。日本で教えた生徒は実に約千五百名にも達したという。著者もその中の一人である。

生徒は日本武道の有段者、在日華僑《かきょう》などが多く、中には老師に挑戦を挑んで散々に敗れた高名な空手家も含まれていた。音楽家や作家、マスコミ関係者など文化人もいた。Ｃ・Ｗ・ニコル氏、直木賞受賞作家の景山民夫《かげやまたみお》氏、ロックギタリストの成毛滋《なるもしげる》氏、笠尾恭二氏、楊進氏なども老師の武芸に触れた方々である。

Ｃ・Ｗ・ニコル氏の著書「落葉千枚」（東村山市民叢書）の第四章「太極拳」に、王樹金老師は「ウォン（Ｗａｎｇ＝王）先生」として登場する。同書には、米国ＣＩＡから日本武道調査のため派遣された米国人武道家、ドン・ドレーガー氏が、老師の一撃で数フィート先の壁まで飛ばされ、そこに叩きつけられた様子が描かれている。

文化特使の任務を帯びた老師は、日本ばかりでなく、世界各地を歴訪し、一九八一年に他界するまで、中国武術の普及に奔走した。老師の人生はまさに、武術に始まり武術に明け暮れた一生であった。

現在、老師は台湾の草屯《そうとん》で静かに眠っている。その墓地の大きさは民間人随一とも言われている。大陸に残した妻、子どもとの再会すら叶わず再度祖国の土を踏むこともできなかった老師が、いかに台湾の地で尊敬を集めていたかが想像できる。

第二章　付録

資料編

巻末随想

我が師・王樹金《おうじゅきん》

地曳秀峰《じびきひでみね》

正宗太極拳伝承者の素顔

王樹金老師との出会い

王樹金老師《おうじゅきんろうし》が来日された頃の一九五〇年代から六〇年代は、日本の武道家たちの間で中国拳法は未知の武道であったが、私は、それ以前に中国拳法を目にした経験があった。終戦直後の物資不足の頃、東京の古書店の前に積みあげられた雑誌の中から、「ライフ」というアメリカの写真雑誌を探し当てたときのことである。なにげなくその雑誌をめくってみると、中国軍将校が奇妙な型の拳法を練習している。

当時、私は「唐手《からて》」と呼ばれていた空手と大東流《だいとうりゅう》合気武道の修業に励んでいた。唐手が中国福建省の太祖拳《たいそけん》と同種のもので、中国には他にもさまざまな種類の武道があると知るのは後年のことであり、その頃は、中国拳法すべてが、空手のようなものだとばかり思っていた。ところが、このとき目にした写真の中で行われている武道の型は、空手のそれとはあまりに違う。不思議な動作だが、実に優雅な雰囲気を醸し出している。中国拳法にとても神秘的な魅力を感じたのはこのときであり、このきっかけがなければ、後年、王樹金老師にお会いすることもなかったように思う。運命とは不思議なものである。

時は移り一九五九年、王樹金老師が初来日された。老師との初めての出会いは、その二年後、老師が中華民国の文化使節として正式に来日された一九六一年のことである。

「中国の拳法家来《きた》る」というニュースは当時大変な話題になり、新聞報道で使節団の滞在先がわかった。神道夢想流《しんどうむそうりゅう》 杖道範士《じょうどうはんし》・清水隆次先生宅である。一国を代表して来られた高名な拳法家が、名もない若僧に会ってくださるかどうか心もとない限りではあったが、「中国拳法を習いたい」の一心で、大東流合気武道の仲間である横田氏、福岡氏を誘い、王老師をお訪ねしたのである。

間近でお会いした王樹金老師は、大柄ではあるがなんとも穏やかな方という印象であった。身長は一七〇セン

王樹金老師が滞在されていた清水隆次範士宅と篠原清彦氏

チくらいなのだが、体重は一二〇キロくらいであろうか、かなり大柄である。しかし、空手家に見られるような筋肉隆々のいかつい身体ではなく、どこかふっくらとした感じがする。

　まるで大木に寄り添っているようなそんな安堵感が伝わってくるのである。

　私達が「教えを請いたい」旨を伝えると、即座に許可をくださった。高名な拳法家であるにもかかわらず、少しも驕《おご》ったところが感じられない。思えばこのとき、私の生涯も老師と同様、中国拳法とともに生きることが運命づけられたのである。

　当時老師は、平日の早朝に代々木公園で稽古をつけておられ、そちらへ来るように言われた。しかし、交通の便が悪いその頃は、私の職場と住まいがあった木更津から東京まで、片道だけでゆうに四時間はかかってしまい、仕事との両立も到底無理である。当時私は、日曜日の午前中に東京の合気武道の細野恒次郎道場で師範代を務めていたので、できればその後にご指導をいただきたいとお願いした。そして、それが私にとっては大変嬉しい結果となった。特別に渋谷にある頭山道場で、私たちだけ個別に教えてくださるというのだ。

　早速その翌週から稽古は始まった。王老師のような大家から憧れていた中国武術を教えていただけるということで、私は天にも昇るような気持ちで無我夢中で指導を受けた。しかし、その稽古の内容はと言えば、当初は気功に終始し、何もわからぬままに同じポーズを何十分も続けさせられたりするものだった。私自身は大東流合気武道や空手の修業をやっていた経験から、老師の指導は基礎訓練をさせているものだと思い、自宅に帰ってからも一人で練習を続けていた。

しかし、強くなりたいと思って老師に入門した多くの他の者たちは、このような稽古が不満だったようだ。老師は晩年、「私は日本では千五百名近くの者を指導した」と語られていたが、その多くは、稽古の初期の段階で脱落したということで、結局日本人の中で最後まで王樹金老師に師事したのは、ほんのひと握りとなった。老師の指導に対する考えは、「一定の*功夫《かんふう》のない者に技や型を教えても意味がない」というものだったが、言葉の通じない日本人には理解しがたいことだったようだ。

また、老師は中国人に相対するのと同じ態度で我々日本人に接してくださったが、日本人の中には、武道の師である老師を尊敬する態度に欠ける者もいた。中には、老師の技の真髄を理解しようとせず、型だけ習ってしまえばそれで良いと考えた者もいたようだ。その中には、日中の国交が回復すると、台湾の王樹金老師がこれだけ凄いのだから大陸にはもっと凄い武道家がいるはずだと、老師から離れて大陸へ向かう者もいた。大陸の武術界には文化大革命の影響が色濃く影を落としていたことを当時の日本人は誰も知らなかったのである。

また、老師の教授料はその当時の武道の相場からは桁はずれに高額だった。確か、合気武道や杖道《じょうどう》の八倍くらいだったと記憶している。もともと中国では、上流階級の人たちが金塊を積んで太極拳の指導者を招いたという逸話もあるほど貴重な技である。老師もひとつひとつの技を宝のように大変大事にされていた。

教授料の他にも菜食主義の老師のために、北海園などの高級中国料理店でお食事をさしあげたり、出費は相当なものだった。昔私は司令官付き通訳官として高給を得ていたので、謝礼も難なく払えていたのだが、米軍が帰国した後は途端に窮するようになった。その後は貯金を崩しては教えていただく状態となってしまったのだ。

妻が公立中学の教員をしていた関係で家計はなんとか保つことができたが、今考えると太極拳にとりつかれて家庭をまったく顧みないような状態となってしまっていた。私としては老師の、また中国柔拳の強さが不思議で不思議でならず、一心に追い求めていただけなのだが、家族にはずいぶんと迷惑をかけた。今ではその協力に大変感謝している。

王樹金老師宅で台湾の兄弟弟子と共に（筆者は右より3番目、中央が王福来*師兄）

伝統の技に対する真剣な思い

こうして、習う者がひとり、またひとりと王樹金老師《おうじゅきんろうし》のもとを離れ、また老師から破門されていった。実は私自身も、一度だけ破門の宣告を受けそうになった経験がある。これは日本人の学生（注1）が、老師の許可なく中国柔拳《じゅうけん》の解説書を発行したことが原因で、私もこの解説書の作成に協力していたからである。

私としては、日本語で王樹金老師の技を紹介した書物ができれば、多くの日本人に中国柔拳への理解が深まり、老師の普及活動の役に立つのではと考えて協力したことだが、本を発行した学生の考えは、必ずしもそうではなかった。まだ日本で紹介されていない中国柔拳を、老師に無断で、しかも自分の名で紹介してしまったのである。

事実を知られたときの老師の憤りは想像をはるかに超えるものだった。老師は、先人より伝承された貴重な武芸を守り、後裔《こうえい》に正しい武芸伝承をしていく使命を背負った方である。中途半端な理解で終南門派《しゅうなんもんぱ》の武芸が紹介されては、武門の名に傷がつく。修業半ばの学生が、老師の配慮なしに出した中途半端な解説書は先人に対して面目《めんもく》を失うものである。私は、その責任の重さを老師

八卦連環掌の型を披露する王樹金老師

の激しい怒りを通じて実感として学び、自分の未熟さも顧みず浅慮《せんりょ》な行動に及んだことを、深く反省し心から謝罪した。

　このとき老師は、本を出版した学生が主催する道場に乗り込んで、道場を潰そうとされた。私は、日本でそんなことをすれば暴力沙汰となり、老師の名に傷がつくと、必死になって止めた。我々の必死の説得で、この件はなんとか不問に付されることとなったが、伝統の武芸を正当な形で後世に残そうとする老師の熱意を痛感し、老師の技を受け継ぐことの責任の重さを改めて認識したのである。

　一方、このような逸話とは裏腹に、普段の王樹金老師は大変に穏やかで慎み深く、大人《たいじん》という言葉がふさわしい品格ある紳士でいらした。まさに謹厳実直という言葉がふさわしく威厳があるが、温かみに溢れ、側に行くと自然と頭がさがるような方だった。

　恩師である張兆東先師を心から尊敬し、渡台の時に持参したというわずか数枚の写真のうちの一枚は、張先師の写真だった。

　王老師ご自身は、写真を撮られることは好まれず、技に対して大変厳格で、私が個人指導を受けているときも、見物人が一人でも来ると指導は途端に中止となってしまった。

　王樹金老師による指導は、技を習い進めるに従ってその厳しさも増していった。空手の修業では筋肉を堅くする訓練をしていたので、なかなか柔拳をやる体にならず苦労をしたが、型については今まで他の武道をやっていた関係ですぐに覚えられる自信があった。にもかかわらず、王老師は特に型の形にとても細かく、一度注意をしたあとで直らないと直るまで容赦なくたたかれた。

　それはとても詳細で厳格な指導であったが、太極拳の使用方法なども細かくご指導いただき、具体的に納得できる理論的な教え方でもあった。また練習の後には食事をしながら筆談で歴史的な話も含めて沢山の興味深い話を聞かせていただくのが常だった。この本でもその一部を公開したが、それらは現在、私の指導方法に大変影響を与えている。

忘れえぬ思い出は数多い。雪の舞う、ある寒い日の出来事だった。老師は個人練習場だった光林寺の座禅堂の廊下で形意拳《けいいけん》の練習を命じられた。私は一人、必死になって練習を繰り返すうちに、汗びっしょりになり、最後は肌着一枚になってなおも練習を続けていた。それはつらい反復練習の繰り返しであった。

しばらくして老師が、「その練習は終わりにして、気功をやるように」と言われ、私の前に立って気功を始められた。私は老師について早速気功の練習に入った。気功の型のまま微動だにしない老師の頭からは、みるみるうちに湯気が立ちあがってくる。ところが、私は次第に寒くなり脱ぎ捨てた服を着始めるありさまだった。修練を積んでいると思いながらも、実は私の技量は満足に「気」を出せるレベルにも達していなかったのである。改めて自分の思いあがりを知らされた気分であった。

技の面でも老師のもとで修業を積むにつれ、太極拳の威力の凄さに感嘆した。力《りき》みというものが一切ない太極拳は、なかなか外見からはその力を理解しがたい。

王樹金老師に師事して間もない頃、「体感してみないと理解できないから」と老師が掌で打ってくださったことがある。まだ私の身体は空手で鍛えた堅さが残る時代であった。老師は、私の身体を横向きにして、私の腕を軽く打たれた。信じ難いことだが、そのとき、私は二〇センチほど飛びあがったという。しかし、自分の感覚では一メートルほど飛びあがったかのような感覚で、たとえようのない激しい痛みが身体中を巡った。打ち込まれた場所ばかりではない。こだまするように、全身に痛みは広がっていく。痛さに立ってもいられない。空手の修練で打たれることには慣れていたはずだが、このときばかりは、か

筆者が王樹金老師に個人指導を受けた光林寺

つて体験したことのない痛みに心底恐怖感を覚えたものである。

老師の教えを受ける中で、私は太極拳の「攻守両面での強さ」にも気づかされた。それまで私が修業していた空手は攻撃一辺倒であり、酔漢《すいかん》（よっぱらい）をとり抑えるとしても突きや蹴りを入れるしかなく、相手を傷つけてしまう恐れがある。常に「理想の武術とは」という思いに悩んでいたさなか、その理想を太極拳に見たのである。剛に偏らず柔に偏らず、よく攻めよく守る、まさに「攻防一体の拳」であると確信した。

また私はすでに空手はやめていたが、剛拳《ごうけん》にも興味を持ち、一時期並行して少林拳を学んだ。だが、この姿勢は王樹金老師に戒められた。曰く、「お茶でもなければ水でもない」と。お茶はお茶で飲むとおいしい。水は水で飲むとおいしい。中国拳法も柔拳と剛拳のどちらかを学ぶからこそ意味がある。併せて学ぶことはお茶と水を混ぜて飲むようなものである。何を飲んでいるのかわからなくなる。これでは、どちらの専門家にもなれない。老師はこう諭されたのである。

今まで、空手や合気武道など、さまざまな武道を経験しながら、どうしても技を究めようと思う武道に巡り会えずにいた私は、こうして本格的に師事することを決心し、以後、柔拳一筋に精進することになる。そしてついには八卦掌《はっけしょう》の最高位の秘術を授けられることになったのだが、今でもこの老師の戒めは胸に刻み込まれている。

（注1）指導を受けてはいるが、まだ老師から正式弟子となること（拝師）を許可されていない者。

王樹金老師から秘術を授かる

ふり返ってみると、なぜあれほど多くの弟子を抱えながら、王樹金老師《おうじゅきんろうし》が、一介の武道家にすぎない私のような者に、中国柔拳《じゅうけん》の秘術を授けられたのか、今もって老師の真意はわからずにいる。ただ一つ言えることは、私は、老師を一人の武道の師であると同時に人生の師でもあると思い、全身全霊で老師に尽くしたいと思っていたということだ。

たとえば練習が終わってからも、食事や買い物まで一緒にするなど、せめて日本に滞在しておられる間だけでもお世話したいと決めていた。また、海外旅行が困難な時代ではあったが、時間を見つけては老師を慕って、台湾まで渡り、教えを請うようにしていた。それが老師から大変喜ばれた。世話役を一人私に付けてくださり、帰りには飛行場まで三～四時間かかるにもかかわらず、二、三人の兄弟弟子が見送りに来てくれることが常だった。また私が渡台すると毎回、台湾の兄弟弟子たちの前で一人で演武をするよう命じられた。

王樹金老師と筆者

　私は老師に喜ばれることがとても嬉しく、自分の弟子たちを集めて王老師の講習会を開催したり、中国語を勉強したり、練習も毎日寝る時間を惜しんで行った。

　今にして思えば、こうしたひとつ一つの行動が老師から信頼されるきっかけになったのかもしれない。

　あるとき、日本人の弟子の一人が「王老師はやはり日本人を外国人と思っているのだろうか、なかなか技を教えてくれない」と不満をこぼしたことがある。しかしその頃私はすでに老師からさまざまな技を伝授されていたので、この話を聞いて初めて自分が特別な指導を受けていることに気がついた。

　思えば練習が終わった後も老師から一対一で直接指導を受けたり、時間と場所を指定された上で一人だけ呼び出され、特別指導を受けることが多々あった。老師は人払いをした上で、秘術を授けてくださっていたのだ。老師も、技を指導する度に、「これは貴重な技だ」「これから誰にも教えない技を教える」とおっしゃっていた。王樹金老師には、よくあそこまで仕込んで下さったと敬意と感謝の念でいっぱいである。私の生涯を老師の技の確実な伝承普及についやし、門派の名を高めることが私にできる老師への恩返しであり、使命だと信じている。

　また太極拳は武道の技として素晴らしいだけでなく、心身の健康や人格形成にも大いに役立つものであり、日本のために後世へ正しく伝えていきたいと思っている。

日本における太極拳の原点

文化特使として王樹金老師を招いた頭山泉氏

かくして、王樹金老師《おうじゅきんろうし》に師事させていただいてから現在にいたるまで、とにかく無我夢中で中国柔拳《じゅうけん》研鑽の道を歩んできた。しかし、ふり返れば、王老師ほどの大家の来日指導を実現させるためには、数多くの方たちの尽力があったことを忘れてはならない。

王老師来日に尽力された一番の功労者は頭山泉《とうやまいずみ》氏であろう。王老師が文化使節として来日されたことを私が知ったのも、頭山泉氏の説明からであった。前述のとおり、王老師を文化使節として招聘《しょうへい》し、日本滞在中は、公私にわたり面倒をみられた方である。私は頭山道場で王老師より個人指導を受けていた際、よくお目にかかり、お話をうかがう機会もあった。

頭山泉氏は、民族主義者の巨頭として戦前・戦中に活動し、当時の政界にも多大な影響を与えていた頭山満《とうやまみつる》の次男である。頭山満は孫文の日本亡命の際、物心《ぶっしん》両面にわたって援助した人物である。

王樹金老師来日の最大の功労者、頭山泉氏（写真中）。右が王老師、左が清水隆次先生

頭山満の時代は、アジアの利権を獲得しようとする欧米列強に抗し、各国の独立の気運が高まった時代であり、頭山満もこの思想的潮流にあって、孫文やインドの独立

運動家ボース（注1）をかくまっている。

　この精神は、頭山泉氏にも受け継がれていたようだ。父と孫文のやりとりを目の当たりにして育った泉氏が、父亡きあと、日中関係改善のため王樹金老師を文化特使として招聘することに尽力されたのも、ご子息ゆえの自然の流れであったろう。招聘依頼手続きも、頭山満以来の人脈が活かされ、スムーズに展開したという。現代とは違って渡航も来日も困難な当時を考えれば、孫文と頭山満の歴史的関係なしには、太極拳普及の基礎が根付くのは難しかっただろう。

　人対人との国境を越えた出会いと、歴史的「信義」の関係によって我が国の太極拳普及の黎明期《れいめいき》が始まったと考えると感慨深い。

　その泉氏夫人のご親戚で、当時頭山道場の隣に住んでおられた篠原清彦氏を、多田文昌《ただふみあき》氏より紹介いただき、篠原氏より「戦後の頭山道場は、王樹金老師を招聘する目的で泉氏が私財を投じて建てられたものだ」という事実をうかがった。

　頭山道場は、王樹金老師が最初に日本で太極拳の普及活動を始められた場所、つまり、現在日本全国に普及している太極拳の原点なのである。

（注1）インド民族運動の有力指導者。一八八六～一九四五。第二次世界大戦中、日本に亡命し、自国の独立を呼びかけた。

正宗《せいそう》太極拳と日本をつないだ人々

王樹金老師《おうじゅきんろうし》と頭山泉氏との縁を結んだのは、農学博士呉柏堂《ごはくどう》氏である。一九九八年、篠原氏が呉氏にお会いする機会を作ってくださり、私はそこで老師来日の発端をうかがうことができた。以下がその経緯である。

　一九五〇年代当時、呉柏堂氏は台中市《たいちゅうし》の農林試験場に勤めておられたが、その隣に中華国術進収会《しんしゅうかい》の宿舎があったという。中華国術進収会は大陸から移住してきた政府要人で構成され、会長は代議士である陳洋嶺《ちんばんれい》氏（Ｐ２８４参照）で、元行政院《ぎょうせいいん》院長や元海軍大臣などがそのメンバーだった。

　進収会のメンバーは、毎朝集まって太極拳を練習する。その場所が農林試験場の敷地内だった。柔道修錬を日課とする呉氏の仲間と進収会は、互いの練習を見学し合ううちに親交を深めていくようになり、呉氏は王樹金老師を陳洋嶺氏より紹介された。呉氏によれば、当時、王樹金老師は陳洋嶺氏らに太極拳・形意拳《けいいけん》・八卦掌《はっけしょう》を指導す

明石 秀氏

る教官の任にあられたという（注1）。このとき、王老師より「日本に太極拳を普及させたいのだが…」との話があり、呉氏は「そのうち私は日本に戻るから訪ねてください」と快諾された。

一九五九年、王樹金老師は東京に戻られた呉柏堂氏を訪ねた。多忙な呉氏ではあったが、仕事の合間を見て、王樹金老師を各所にお連れし、さまざまな人物に引き合わせられたという。呉氏の関係する大学体育会、自衛隊市ヶ谷駐屯地、花柳流舞踊会《はなやぎりゅうぶようかい》、甲賀流忍術《こうがりゅうにんじゅつ》の藤田西湖《ふじたせいこ》氏宅、そして頭山泉氏などである。

さてその後、一九六三年に頭山道場は首都高速建設のため閉鎖され、移転を余儀なくされる。その際に自身が所有するビルの一室を提供してくださった方がいる。その方が、泉氏の友人の縁故者である明石《あかし》秀氏である。新橋にあるそのビルで、太極拳の専門道場として頭山道場は再開された。練習の初めは王老師が中心となり、その後は弟子の張一中《ちょういっちゅう》氏が担当して行われた。

そのほか明石氏は、太極拳普及の一助になろうかと、ヨーガで著名な中村天風《てんぷう》氏に王老師を紹介されたという。

また、前述のとおり、私が光林寺で個人指導を受けることができたのは、朝吹誠《あさぶきまこと》氏が中心となって王老師を招聘されたからである。その経緯は朝吹氏によると以下のとおりとのことである。一九七四年、元衆議院議長の石井光次郎《みつじろう》氏は友好議員連盟を率いて訪台されているが、その折に御愛孫の朝吹氏も同行されたという。蒋介石《しょうかいせき》の家族や政府主要関係者の面々と親交を深める中、朝吹氏が武道を趣味としていると聞いて、蒋介石は「それでは我が国の誇る拳法家を紹介しよう」と王樹金老師を紹介されたという。朝吹氏は王老師より歓待を受け、練習に参加されて非常に感銘を受けたという。帰国後の翌年、朝吹氏は人気放送作家であった影山民夫《かげやまたみお》氏やロックギタリストの成毛滋《なるもしげる》氏らと「王樹金老師招聘委員会」という事務局を編成し、河野瑠璃子氏、義勝氏が自宅を王老師の宿泊先として提供されることになった。そして麻布にある光林寺を練習場にして仲間を集め、石井光次郎氏を名誉顧問とし老師を招聘されたというのがその経緯であ

衆議院議長の石井光次郎宅で。左より石井光次郎氏、王樹金老師、石井氏令夫人

る。

　一九七二年の日中国交正常化後、*簡化《かんか》太極拳があっという間に日本全国に普及した背景には、関係者のご努力の賜と、深く敬意を表する次第である。その一方で、王樹金老師の指導を受けた多くの方たちの原動力があったことも否定できない。いずれにせよ、王樹金老師の来日によって日本太極拳史の礎《いしずえ》は築かれ、現在全国で多くの方々の健康維持、そして「護身」に役立っているのは、喜ばしい限りである。

　当連盟は日本太極拳史の原点である頭山道場を、また老師来日に関わられた方々を語り継いでいくだろう。なぜならこれは、取りも直さず当連盟、全日本柔拳《じゅうけん》連盟の原点でもあるからである。

蒋介石より王樹金老師を紹介された朝吹誠氏。氏は現・JIN㈱社長、瑶堂・顧問。元慶應大学教授・主要省庁等の審議委員

（注1）呉氏によるこの話は録音テープから忠実に再現されており、テープは資料として保管されている。

達人たちのエピソード・王《おう》樹《じゅ》金《きん》老《ろう》師《し》

一九五〇年代、台湾の武術家にとって、大陸から伝わってきた柔拳《じゅうけん》は納得のいかないものであった。ゆっくり演武する太極拳が中国武術として強いとはとても信じ難かったからである。

また、当時は大陸の者が台湾での武術教授を職業とすることは、まさに「出る杭は打たれる」というような状態であり、武術家たちの挑戦が絶えなかった。

しかし、そのような中、王樹金《おうじゅきん》老師の名前が畏怖の念をもって全土にとどろくようになるのにそれほど時間はかからなかった。

その謙虚で紳士的な物腰にもかかわらず、数々の著名な武術家たちはあっけなく勝負をつけられてしまうので、王老師の名声はいやが上にも高まった。そこで、ついに少林拳の最強の使い手として名高かった洪《こう》氏が王老師に挑戦することになった。

洪氏は水牛を一撃で殺すことで有名だったほど、その拳には定評があった。

試合場所は台北に定められ、立会人たちの見守る中で行われた。まず最初に洪氏が王老師の腹を二回突くことを許可された。洪氏は自信満々であった。二度も突くことができるのであれば倒せないはずはない。洪氏は満身の力を込めて王老師の腹を二度突いた。が、しかし、王老師は平然と立ったままだった。洪氏はとたんに青ざめ、顔をひきつらせた。

今度は王老師が洪氏の腹を突く番である。すると洪氏は、王老師の一撃を受けてそのまま倒れ、気絶してしまった。そして急いで担架に乗せられ病院へ運ばれていったのだった。

洪氏が倒されたというニュースは、大変な衝撃とともに台湾全土の武術家たちに伝わり、王老師の名を不動のものとした。そして、それ以来、王老師に無謀な挑戦をする武術家はいなくなったのである。

王樹金老師（右）が少林拳最強の使い手、洪氏に腹を突かせた瞬間
（写真提供　ロバート・スミス）

日中太極拳交流の今日

八卦掌《はっけしょう》ゆかりの地・北京に建つ王樹金記念碑

一九九四年、北京にある八卦掌《はっけしょう》の名人・董海川《とうかいせん》先師の墓地内に、王樹金老師《おうじゅきんろうし》の武名を称えて、記念碑が建立された。

この記念碑は、中国政府および、北京市八卦掌協会の協力により建てられた。

設立にあたっては、王樹金老師の高弟・王勝之《おうしょうし》氏、北京市武術運動協会副主席で、北京市什刹海体育運動学校（注1）の副校長も務める王小平《おうしょうへい》女史をはじめ、多くの方たちのご尽力があった。

記念碑の表には王樹金老師の武歴が刻まれ、裏面には老師から八卦掌を受け継ぐ伝人の名前が刻まれている。ここには世界八カ国の伝人と共に、当連盟の会員四十七名の名も碑に刻まれた。これだけ多くの日本人の名が拳法の伝人として中国の記念碑に刻まれたのはこれが初め

王樹金老師の武名を称えて、北京に記念碑が建立された

王樹金記念碑の設立式典には数多くの武術家が参列した

てとのことである。これもひとえに、王樹金老師が日本に伝えた中国柔拳《じゅうけん》が五十年の歳月を経て広く深く日本人の間に浸透したことの証明であろう。

（注1）数多くの世界的な選手を生み出している名門校。運動選手の早期英才教育で有名。卒業生には、体操の馬艶紅選手、中国武術の李連傑《リーリンチェイ》氏（映画「少林寺」を主演）等がいる。

記念碑裏面には日本人として初めて、当会の47名の名が伝人として刻まれた

八卦掌《はっけしょう》の名手、一堂に会する

同年十月十四日には、墓地内で王樹金老師《おうじゅきんろうし》の記念碑設立式典が行われた。

式典では、王樹金老師の後継者である王福来老師《おうふくらいろうし》、地《じ》曳秀峰《ひきひでみね》会長をはじめ、記念碑設立に尽力された人々、また北京の八卦掌《はっけしょう》の名家が一堂に会した。また世界各地の誠明会の会員や、王樹金老師が台湾に移住した折に本土に残り、ついに再会を果たすことができなかった二人のご子息も参加し、総勢約五十名が参集した。

同日、私たちが属する中華武術国際誠明《せいめい》総会と、北京市八卦掌協会は武術交流会を持った。

交流会は、八卦掌の尹派《いんは》と程派《ていは》の名家・北京市八卦掌協会会長の馬伝旭先生、孫志君先生、趙大元先生、高継武先生、賈樹森先生たちと行われ、それぞれの八卦掌の一端を演武し合い、各派の八卦掌を同時に比較研究し、意見交換をした。

北京の先生たちの関心は、門派によって型にかなりの差があるということだった。私たち終南門派《しゅうなんもんぱ》の型が、なぜ尹派や程派のものと大きく異なるかという点にも話題が及んだ。

本場の武術名家達と当会会員とで武術交流会が行われた

北京市八卦掌協会との武術交流会後の記念撮影。前列左から2番目が著者

それに対し王福来老師が、王樹金老師の八卦掌は張兆東先師より伝わるものであり、＊蕭海《しょうかい》波《は》先師より漢民族の秘伝が王樹金老師に伝えられたことも含め説明された。

さらに翌日は、意拳《いけん》の北京市意拳研究会とも交流会を持った。参加者は、意拳の創設者である＊王薌齋《おうこうさい》先師のご息女であり、北京市意拳研究会の名誉会長の王玉芳《おうぎょくほう》先生、会長の薄家胚先生と副会長・秘書長、そして私たち誠明会の総勢三十名弱である。

王薌齋先師は、形意拳《けいいけん》の大家・＊郭雲深《かくうんしん》に師事し、武術・気功界で指導的役割を果たした。王樹金老師に大成《たいせい》気功《きこう》を伝授したのも王薌齋先師である。

お互いに王薌齋先師より伝承するそれぞれの技を披露し合い武術交流を行ったところ、王玉芳先生より「父、王薌齋の技が遠い日本にも伝えられ根付いていることを大変嬉しく思う」と、お言葉を頂戴した。

そして王名誉会長は、単推手と双推手を披露しながら意拳とその推手についてご説明をされた。

その後、北京市内の御膳堂で、私たちは、意拳研究会の先生たちと中国籠球協会主席の牟作雲主席と共に和やかな宴の時を持たせていただいた。

王樹金老師の遺したもの

北京の*董海川《とうかいせん》先師墓地内に建てられた王樹金老師《おうじゅきんろうし》の記念碑は、老師の一生にわたる中国武術に対する功績が、中国政府および中国本土の中国武術の重鎮たちに評価されたことの証でもある。

また王樹金老師は台湾へ渡って以降、生きて中国本土の土を踏むことも、家族と話をすることも叶わなかった。ゆえに今回の記念碑設立は、王樹金老師の里帰りという観もあった。

達人であるがゆえの運命を背負った王樹金老師の一生は、中国柔拳《じゅうけん》の伝統を継承し、それを歪めることなく伝承するためについやされた。そして、その技は王福来老《おうふくらいろう》師《し》と地曳秀峰《じびきひでみね》老師を双璧として信頼のおける弟子たちに託された。

王樹金老師の貴重な技を伝承する私たちの責任と寄せられる期待は大きい。老師の築き上げた偉業を受け継ぎ、更に世界的に発展させることが私たちの世代、そして次世代の会員の使命となろう。

（取材／全日本柔拳連盟 広報部）

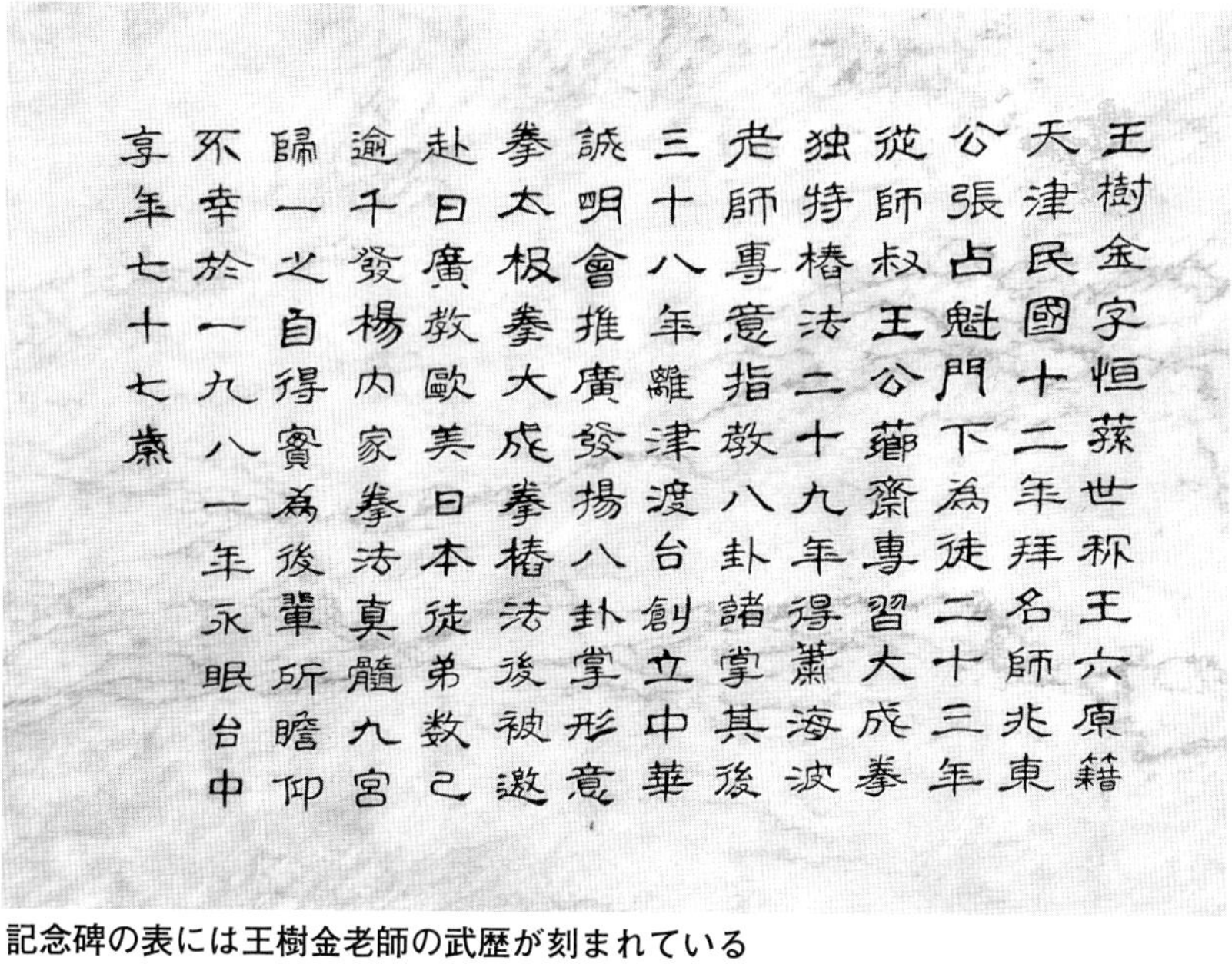

記念碑の表には王樹金老師の武歴が刻まれている

全日本柔拳《じゅうけん》連盟の主な活動

一九八〇年、中国武術の大家・王樹金《おうじゅきん》老師より、地曳秀峰《じびきひでみね》を会長として道場開設の命を受け、中華武術日本誠明会《せいめい》が設立された。同時に、大東流合気武道《だいとうりゅうあいきぶどう》、眞陰流《しんかげりゅう》といった日本古流武術の指導を兼ねる全日本柔拳《じゅうけん》連盟を設立。王樹金老師の推薦により、中華民国政府団体である中華國術國際聯盟總會《ちゅうかこくじゅつこくさいれんめいそうかい》の日本分会となる。また当連盟は、香港武術界の名門・古式楊家《こしきようけ》太極拳藝光会《げいこう》の日本分会でもあり、古式楊家太極拳も伝承している。

組織の中枢である渋谷本部道場は、気の拳法・「柔拳《じゅうけん》」の専門道場である。全国に約五十の支部を展開し、総会員数は三千名を数える。

中華国術世界大会に日本代表として出場——高い評価を受ける！

中華民国の政府団体である中華國術國際聯盟總會が主催する武術の世界大会は、三十年以上続く由緒ある中国武術世界大会と、二〇〇六年から始まった太極拳國際大会がある。表演の他、擂台《らいたい》（散打《さんだ》試合）、推手試合なども行われる大会で、参加加盟国は五十カ国以上。大会の指導には、オリンピック委員会、内政部、教育部、外交部などがあたっている。当連盟は、一九八六年に伝統拳の日本代表として初招聘を受けて以降、毎回会員を日本代表として出場させている。

そして第十回中国武術世界大会では団体第四位、個人で金賞・銀賞の栄に浴し、第二回太極拳國際大会では個人の部で一～三位までを独占する栄えある成績を収めた。

なお、中華國術國際聯盟總會の日本分会は、東京渋谷の当連盟本部内に設置されており、地《じ》曳秀峰《びきひでみね》会長は、東アジア分会と日本分会の会長を兼務されている。

貴賓席で選手を見守る前列左から楊瑞峯國術會理事長、地曳秀峰会長、地曳寛子会長代理。地曳会長は、開会式で各国代表として挨拶を務められた（左上）。推手試合（中上）。第二回太極拳國際大会では、当連盟会員が1～3位を独占した（右端）。好成績を収めた当連盟会員たち（左中）。國術會の国際会議で挨拶をする台南市長。手前が地曳会長（左下）

台湾研修──三月末

台湾の南投《なんとう》県にある中華武術國際誠明會總會《せいめいかいそうかい》本部道場を訪ね、王福来老師《おうふくらいろうし》・黄淑春老師《こうしゅくしゅんろうし》などの直接指導を受ける。同本部には王樹金記念館があり、老師の遺品を通じて在りし日の老師を偲ぶことができる。研修中は、参加者一同が王樹金老師の墓前で奉納演武を行うのが慣例となっている。

また台湾政府である行政院の中にある中華國《ちゅうかこく》術國際聯盟總會《じゅつこくさいれんめいそうかい》を訪問し、交流を重ねている。

中国柔拳《じゅうけん》演武大会──十月中旬

中華民国より王福来老師《おうふくらいろうし》、黄淑春老師《こうしゅくしゅんろうし》を招聘して行われる演武大会であり、両老師および地曳秀峰《じびきひでみね》老師に伝承された門外不出の秘技を特別公開する、年一回の機会である。また大会には中華國術國際聯盟總會の楊瑞峯《ようずいほう》理事長も臨席される他、共に来日される台湾の著名な先生方がその技を披露下さっている。午前の部では本

毎年、台湾最大級の規模を誇る王樹金老師の墓前を訪れ、奉納演武をする（上）。王福来老師の直接指導を受ける（左下）。厳かに行われる地曳秀峰会長への拝師の儀式（右下）

部・各支部会員が日頃の成果を演武披露、午後の部は地曳寛子《じびきひろこ》会長代理や国際教練の模範演武に続き、終南門派《しゅうなんもんは》の奥義である八卦《はっけ》六十四掌や八卦陰陽鉞《いんようえつ》、八卦刀などが王福来老師《おうふくらいろうし》や黄淑《こうしゅく》春老師《しゅんろうし》、地曳秀峰《じびきひでみね》老師の演武により公開される。競技としては推手《すいしゅ》トーナメントがあり、会員の実力を試す機会となっている。模範演武のひとつである太極拳散手と並び、武術太極拳の醍醐味を知ることができる。

王福来老師の太極拳（上）。来日し来賓挨拶をされる國術會の楊瑞峯理事長（左中）。マイク片手に発勁を披露される地曳秀峰老師（左下）。左から宣蘭縣武術協會理事長の蔡輝龍先生、高雄縣陳家溝太極拳協會理事長の劉文宗先生、台南市太極拳協會顧問の胡明芳先生

連盟会報「柔拳」

全日本柔拳《じゅうけん》連盟の会報であり、本部・支部にかかわらず全会員に配布される。各イベントの紹介や報告、健康・武術両面にわたる柔拳の効用や解説など広範囲な情報を掲載。特に、王樹《おうじゅ》金老師《きんろうし》来日当時を尋ねる「太極拳の原点・頭山道場」や、地曳秀峰《じびきひでみね》老師の武道遍歴を知る「柔拳への道」、「王福来老師《おうふくらいろうし》特別インタビュー」は会員に人気の記事だ。また、「支部紹介」や、「会員体験記」など、会員相互のコミュニケーションの場となっている。

海外マスコミからの注目

世界的な中国武術の大家である王樹金老師《おうじゅきんろうし》。その老師の日本での正統継承者である地曳秀峰《じびきひでみね》会長は海外のマスコミからも多くの注目を集め、国内外の中国武術専門誌や新聞などから多くの取材を受けている。

当連盟の会報（右）、海外の専門誌からも広く取材を受けている（左）

本部道場

本部道場は、渋谷の駅前にある。創立当初は、武術としての太極拳の専門道場だったが、正宗太極拳は、武術面だけでなく、健康面の効果も大変高いということで、一九九八年、会員達の要望を受けて「太極拳・健康クラス」が新設された。「武術クラス」では、毎日、八十二歳の地《じ》曳秀峰《びきひでみね》会長が太極拳の組み手である推手《すいしゅ》を全会員として下さり、「柔拳」のすごさを体感することができる。

現在、「武術クラス」は週に十五クラス、「太極拳・健康クラス」は十二クラスある。どちらも振替自由なチケット制なので、忙しい方にも続けやすいと好評だ。他に八卦掌や形意拳を教える「上級クラス」の他、「大東流合気武道クラス」や「初心者クラス」「英語クラス」などもある。

大学や企業、ホテルやスポーツクラブ、カルチャースクールなどへ指導員を派遣している（右上）。四勢推手の指導（左上）。武術クラスでの地曳秀峰老師による指導（右下）

地曳秀峰会長
九段の段位を受賞！

二〇〇六年四月、政府団体である中華《ちゅうか》國術《こくじゅつ》國《こく》際《さい》聯盟《れんめい》總會《そうかい》より、日本人として初めて地曳秀峰《じびきひでみね》会長に最高位の九段が贈呈された。

この段位は、オリンピック委員会と政府機関である行政院に諮られて承認された名誉ある段位で、テレビ局や新聞社なども取材に来た。

台中県の文化局長である陳志聲先生からは賞状が、そして楊瑞峯理事長からは九段の証として名前と段数の入った黄色い帯が贈呈された。

この受賞は、地曳秀峰会長の中国武術の実力と、長年、恩師・王樹金老師《おうじゅきんろうし》の恩に報いる形で、中国柔拳を発展させてきたために贈られたとのことだった。これを受けて地曳《じびき》秀峰会長は、「私個人ではなく、終南門派《しゅうなんもんぱ》の受賞だと思い、逆に身の引き締まる思いだ。この貴重な技を次世代に正しく伝承し、門派の発展に尽くすべく、より一層精進しなければと再認識した」と語られた。

また、この授賞式は、「二〇〇六年國際武術菁英匯演」の大会の冒頭に行われ、この大会では、世界各地の国際大会の優勝経験者などの武歴を持つ武術家達による模範演武が行われた。日本からは、当連盟の地曳寛子《じびきひろこ》会長代理、鈴木良之・萩澤成彦《なりひこ》國際教練の三名が招聘を受け、当連盟に伝わる伝統武芸を模範演武された。

右から地曳秀峰会長。台中県文化局長 陳志聲先生、楊瑞峯理事長（右上）。貴賓席で国際大会を見守る地曳会長たち（右中）。地曳寛子会長代理（左中）。鈴木良之國際教練（右下）。萩澤成彦國際教練（左下）

支部・派遣先

東　北

相馬

関　東

茨城石岡

浦和、川越、川口、草加、谷塚、三郷、三郷早稲田、所沢、越谷

千葉、柏、みどり、千葉成田、四街道、旭、松戸、船橋

足立、北千住、福生、鷺宮、城南、吉祥寺、早稲田、飯田橋、駒込、高田馬場、滝山、小平、高尾、錦糸町、町屋

百合ヶ丘、相模原、横浜、平塚、茅ヶ崎、大船、市ヶ尾、中華街、大和、鎌倉、溝の口

甲府

東　海

静岡、熱海、浜松、大垣、名古屋

近 畿

京都、大阪本部、大阪支部、神戸

中国・九州

広島、大分、鹿児島

海　外

台中、高雄、ダラス、ヴァージニア、テレアビブ、オーストラリア、ニュージーランド、ロンドン、アルゼンチン

その他（正宗太極拳を学べる各種スクールなど）

シチズンカルチャースクール、よみうり文化センター、
六本木ヒルズアーテリジェントスクール、合気道養神館道場、
コナミスポーツクラブ、スポーツクラブNAS、カルチャー、
NECグリーンスイミングスクール、京王カルチャー教室　など

企業・公共団体での講座

小学館集英社プロダクション、ホテルニューオータニ、
ホテルリッツ・カールトン、万有製薬株式会社、あんしん財団、
京王百貨店、東京23区　など

※その他、企業、地方公共団体主催の講習会にも多数派遣しています。
連絡先は渋谷本部道場までおたずね下さい。
TEL：03（3400）9371　FAX：03（3400）9368　E-Mail：info@taikyokuken.co.jp

北京 ■Beijing■

王樹金老師の功績を讃えて記念碑が建立されている地。政府や八卦掌団体の協力のもと、その碑は、建てられた。

東京 ■Tokyo■

渋谷三丁目は、王樹金老師が初来日された時の滞在地で、現在はそのゆかりの地に、日本の道場の総本部が置かれている。

台中 ■Taichung■

正宗太極拳などを世界に広める國際誠明総会の総本山。本部道場や王樹金記念館、巨大な墓などがある。王樹金老師が渡台後、居を構えられた。

正宗太極拳の故地

中国から台湾そして日本へ

正宗太極拳は、南京で生まれ、王樹金老師と共に、台湾に渡り、そして我が国日本に伝承された。老師の足跡が今は発信地となり、太極拳の輪を、欧州・中近東・米国・豪国と世界各地へと広げている。

天津 ■Tianjin■

王樹金老師の出身地。張兆東先師をはじめ、中国武術の名人を数多く輩出した。

西安 ■Xian■

古代、長安と呼ばれた古都。西安の南東には、終南門派の発祥地といわれる霊山・終南山がある(左写真)。

南京 ■Nanjing■

正宗太極拳誕生の地。かつて正宗太極拳が編成された南京中央国術館があった。

C・W・ニコル氏が語る王樹金老師の思い出

作家としてまた世界的な自然環境保護活動家として知られるC・W・ニコル氏は、長年柔道と空手を学び、松濤館空手の名誉七段を受ける武道家でもある。王樹金老師とも武道を通じて何度かお会いになっており、氏の著書『Moving Zen』（邦題『私のニッポン武者修行』）『落葉千枚』には、超人「太極拳のワング先生」として、王樹金老師が登場している。

C・W・ニコル
一九四〇年英国ウェールズ生まれ。一九六二年来日、講道館柔道や松濤館空手の修行をする。二〇〇二年、（財）C・W・ニコル・アファンの森財団を設立。二〇〇五年、英国エリザベス二世女王陛下より名誉大英勲章を賜る。著作は百三十冊にも及ぶ。

ニコル氏と王樹金老師の出会い

ニコル氏の柔拳連盟への来訪は、当連盟のスティーヴン・コーミー指導員（地曳秀峰会長師事歴二十二年）によってもたらされた。コーミー指導員は故・高円宮《たかまどのみや》憲仁《のりひと》親王《しんのう》殿下と生前懇意だった関係で、『俤《おもかげ》　高円宮殿下の想い出』（里文出版）を出版したが、その出版記念パーティの席上でニコル氏と意気投合したことが、氏の道場来訪のきっかけを作った。ニコル氏は、老師との思い出を、次のように語ってくださった。

「市ケ谷にある一軒家に、東京五輪で柔道のメダリストだったジム・ブレグマン（米／中量級・銅）、ダグ・ロジャース（加／重量級・銀）、極真空手で名をはせたジョン・ブルーミング（蘭）、そして日本武道研究家のドン・ドレーガー（米）という、そうそうたる外国人武道家たちと私が住んでいたころのことです。そこに王樹金老師が時々訪ねて来られました。

ある朝のこと、階下からドーン、ドーンとすごい地響きがして屋敷が揺れていました。地震かと思い、二階にいた僕は慌てて服を着て下に降りましたが、地震ではなく、王老師が柱を掌で突いていたのです。しかも掌と、柱の隙間は一センチも離れていない。僕は当時、空手をやっていて巻き藁で突きの練習をしていましたから、突きには自信がありました。そこで王老師がお帰りになってから、拳にタオルを巻いて思い切り逆突きで柱を殴ってみたのですが、柱は全然動かない。もう、すっかり自信を失いましたね。

後日、ドレーガーさんにそのことを話したら、『あの方（王樹金老師）は人間じゃないですから』と笑われました。同じことを、当時師事していた中山正敏先生（当時、日本空手協会会長）もおっしゃっていました。結局、当時の僕は空手の黒帯をとるために稽古を続けたわけですが、ときどき王樹金老師とドレーガーさんの稽古を見て、気持ちが揺らぎましたね。何しろ、あの一九〇センチくらいある逞しいドレーガーさんが、いとも簡単に飛ばされてしまうんですから。

王老師は、私に『いつでも突いてきていいぞ』とおっしゃるのですが、私は目上の人に突きかかるということはできませんでした。その代わり獰猛《どうもう》な空手家のジョン・ブルーミングは、王老師に、『突いて来い』と言われて老師のお腹を突き、手首を折ってしまったと聞いています。

結局、王老師とは十数回お会いしましたが、畏れ多くてなかなかお話はできませんでした。存在感がものすごくて、王老師の武道についても、『どうしてこんなゆっくりした動きで強くなれるんだろう』といつも不思議に思っていました」

本部道場を来訪したニコル氏。右から地曳寛子会長代理、地曳秀峰会長、ニコル氏、コーミー指導員

ドン・ドレーガー氏は地曳秀峰会長と頭山道場でよくご一緒だった方だそうだ。氏は戦後、日本武道を海外に紹介した武道家の草分け的存在である。昭和二〇年に来日以降、幾度も長期に渡って滞在し、幅広く武道を研鑽し、それぞれにおいて相当の域に達した。

また、ニコル氏のお話に出てくる市ヶ谷の一軒家には、著名な中国武術研究家であるロバート・スミス氏も住んだことがある。スミス氏は、特に王樹金老師の武術を研究し、米国に紹介している。

このように、ニコル氏がこの市ヶ谷で王樹金老師と過ごされた日々の記憶は、王樹金老師の俤《おもかげ》を今に伝える大変貴重なものである。

ニコル氏は最後に、「私は柔らかい武術というものは、太極拳でも合気道でも、それが護身術として一番だと思います」という言葉をくださった。

（全日本柔拳連盟 広報部）

百家の長を取り、自家の短を補う

極真空手　清武会西田道場
西田幸夫

西田幸夫
十五歳の時、極真会館の門を叩く。大山倍達総裁亡き後、国際空手道連盟極真会館の世界代表を務める。現在、極真会館清武会西田道場を主宰。後進の指導にあたる。

私が地曳秀峰老師とお会いするきっかけとなったのは、王樹金老師の存在があったからこそでした。王樹金老師が来日された際に、私は何度かお会いする機会がありまして、そのとき老師の大陸的な人間の大きさを感じたのです。また、空手家にはない独特な雰囲気が老師にはあったことも覚えています。剛の強さと柔の強さ。行き着く先は同じと考えていた私は、迷わず柔拳とは何かを学びたいと思いました。そして、数年後、王樹金老師の技を正統に継承された地曳先生のもとへと辿り着いたのです。

1984年に台湾にて地曳秀峰会長に拝師し、師事歴は28年になる。

地曳先生と初めてお会いしたときにまず惹かれたのは、その人柄でした。肩肘をはらず、とてもおだやかで温厚な人柄。人と出会った瞬間に何かを感じることが、人生には何度かあると思うのですが、それを地曳先生に感じたのです。また、自己の鍛錬に妥協を許さない、地曳先生の武道に対する姿勢も実に魅力的でした。王樹金老師が偉大な武道家だということは、誰もが認めるところです。しかし、それは地曳先生が立派な武道家だからこそ、老師の偉大さが後生に受け継がれているのだと思います。地曳先生が王樹金老師のお話を何よりも大事にされる姿に、武道家としての偉大さを私は感じるのです。

今から三十年ほど前、日本に「気」の概念は一部にしか浸透していませんでした。その気を使った武道家がいると知ったとき、私は素直に気とは何かをつかみたくなったのです。中国の武道書『武備志』に「法は剛柔を呑吐する」という言葉があるのですが、まさに、この言葉こそが武道の技術には剛と柔の両面があるのだということの表れ。剛と柔が殺し合うのではなく、お互いの持っていないものを導き合わせることで、新たな強さも加味されると私は思うのです。剛拳を学ぶ者にとって、最終的な課題となるのが柔化。剛《かた》いものをいかに柔らかく使うか。「剛を百万べん繰り返せば柔となる」という言葉もあるように、剛を突き詰めていき、質的な変化を求めたとき、柔が必要になるのだと思います。私自身、柔拳を学んだことによって、剛拳の強さともろさが共に見えたと思っています。それだけでなく、改めて剛のすばらしさも感じることができました。もちろん、柔のすばらしさも同様です。

私が現在もこうして剛拳と柔拳をともに長く続けていられるのは、お互いを敵視していないからだと思っています。「剛を極めて柔があり、柔を極めて剛がある」この言葉が、剛拳と柔拳の共生のすべてではないでしょうか。これからも武道における共生の必要性を感じ、ともに精進していきたい、そう考えております。

武術・太極拳の神秘

強いと思いあがっていた自分が弾き飛ばされてから、推手にはまっています

昔の話ですが、「自分は強い」とうぬぼれていた時期がありました。しかし、柔拳連盟へ来たら、地曳先生をはじめ、自分よりも小柄で年配の方に簡単に推手で転がされてしまいます。なぜ転がされてしまうのか、いまだによくわからないところもありますが(笑)。でもそこに魅力を感じました。また、自分が強くなっていくのを実感できますから、楽しいですね。

男性会員（柔拳歴三年）

修練を積むことで技の上達だけでなく、心の成長も実感できます

真の武術を教わりたいという思いから入門して六年、心身ともに鍛えられていくのを実感しています。特に、仕事でカリカリすることがなくなったほか、何事にもねばり強く取り組めるようになるなど、心の持ちようが変わったように思います。地曳先生から御指導いただく、秘伝の格闘技術と平生の心構えは、武術の枠を超え、一生を生きるための力を教わっている気がします。

男性会員（柔拳歴六年）

初心者でも地曳会長に手合わせしていただけることに感激しています

見学のとき、いきなり地曳先生にお会いできたことに驚きました。普通の道場では、偉い先生が直接指導してくれることはほとんどありません。毎回、地曳先生に推手をしてもらえることに感激しています。また以前やっていた空手と違い、太極拳は体の大小に関係なく力をつけることができるのがうれしいです。またリラックスできるのもいいですね。

男性会員（柔拳歴十ヶ月）

力に頼らず「気」で相手を倒す太極拳の奥義に感激

王樹金先生の無敗の話を聞いて以来、ずっと直系の道場を探していました。入会後、地曳先生に手合わせして頂いた時、その威力に愕然としました。当時は女性会員の方にも押されてしまってショックでしたね。私は空手をやっていましたが、空手は年齢とともに限界を感じることがありました。しかし、太極拳は年を重ねるほど強くなれます。力より気の大切さを実感しています。

男性会員（柔拳歴七年）

太極拳で、よりバランスのとれた生活を送れるようになりました

以前から空手や剣道をやっておりましたが、太極拳を見た時にその他の武道との違いを感じ、即入会しました。すべてのものが全身に大きく関わっていることがわかり、よりバランスのとれた生活を送れるようになりました。練習はとても刺激的で、すがすがしい気持ちになります。練習を重ねるほど、睡眠時間が少なくて済むようになり、今では一日三〜四時間眠れば十分です。

男性会員（柔拳歴十年）

新潟から新幹線で上京、連泊して集中的に練習しています

二カ月に一度上京し、三〜四日集中的に練習しています。自分と同じように地方から練習に来ている人が多いので励みになります。自分は二〇〇キロのスクワット機械でも片肩であげられるぐらい、脚力には自信があったのですが、ある時、先生に肩に軽く手を置かれ、そのまま床まで潰されてしまったことがありました。まったく抵抗できない感覚がとても不思議でしたが、この道場ではそんな体験がいろいろできるので、すごく面白いですね。

男性会員（柔拳歴五年）

会員の声

太極拳の師を求めて英国から日本へ

大学生のとき、イギリスで合気道を学んでいました。卒業後、幻の武術・八卦掌を習おうと、先生を求めてまず中国本土へ渡りました。そこで三カ月滞在し、先生を探しましたが見つけることができませんでした。次に日本に来日して、このクラブ（道場）に出会えたのです。先生方のレベルがすごく高いし、教え方も丁寧。いまは九九％、中国武術をきわめることに集中しています。

男性会員（柔拳歴一年）

兄に誘われて始めた太極拳、もうこれなしでは考えられない

兄のベンに誘われて入会しました。空手や柔道もやってきましたが、この道場は他の武道とやり方が全然違います。門下生の層も厚くて、みんなプロフェッショナル。地曳会長に直接質問できる時間もあるのがいいですね。技ができないと悔しいけど、すぐ疑問に答えてくれるし、とても楽しい。今ではこのクラブなしなんて考えられない。日本に来て、人生のいい勉強にもなりました。

男性会員（柔拳歴一年）

なんとも不思議な威力の地曳会長の拳

空手を二十年ほど続けていたので、打撃には強いつもりでしたが、ある日、地曳会長に双推手をしていただいたとき、まるで気が染み込んだような一撃をくらい本当に参りました。表面をいくら鍛えても貫通してしまうような何とも不思議なこの力に夢中になり早十五年、このまま八十代になっても元気で続けられるよう、がんばって鍛錬していきたいです。

男性会員（柔拳歴十五年）

年をとっても強くなっていける最高の武道

太極拳はほかの格闘技と違って筋肉を鍛えるものではなくて「技と気」を高めるもの。地曳先生のように年を重ねるほどに強くなっていける武道であり、限界がないのが嬉しいですね。練習に打ち込んでいると、ストレスから解放され芯からリラックスできるし、精神的にも自分を高められます。正統な流れの中国武術を習っているというだけでも幸福感を感じます。

男性会員（柔拳歴六年）

八十二歳の地曳会長の威力には本当に圧倒されます

見学に行った際、王福来先生が来日されていて、寸勁を体験しました。キックボクサーだった私は、腕に自信がありましたが、見事に吹っ飛ばされました。教わるなら実力ある正統派の指導者のもとでと思っていたので、その日に即入会を決めました。会長の地曳先生に相手していただくときには、気がつくと目の前に拳がきていて、攻撃してもいつのまにか転がされています。その動きに圧倒されています。

男性会員（柔拳歴九年）

太極拳の奥深さに魅了されて十年

二十歳ぐらいから各流派の道場に通ってみたのですが、長続きしませんでした。何かの広告を見て、渋谷本部へ見学に行ったのですが、本当の伝統を引き継いでいるなと実感し入会。あっという間に十年経ちました。太極拳の優雅な動きと、護身術にもつながる型のすばらしさに魅せられて、静岡に移り住んだ今も通っています。反射神経がするどくなって足腰も強くなってきました。同窓会に出るたびに、何だか若返ったね、って言われます（笑）。

女性会員（柔拳歴十年）

正《せい》宗《そう》太極拳が身体に働きかける諸効果

※効果には個人差があります

【腰痛改善】

長年悩まされてきた腰痛が、正宗太極拳を始めたおかげで完治しました。大学でスポーツ教育学を教える傍ら、スポーツ専門誌等の原稿執筆も手掛ける多忙なスケジュールを調整し、片道四時間かけて長野から東京の本部道場へ通っていました。ドイツに帰国後は、全日本柔拳連盟の支部を開設し、祖国の人に柔拳という素晴らしい文化を伝えたいと思っています。（長野オリンピック・コーチとして来日）

〔ドイツ人男性　渋谷本部会員〕

【難病克服】

十二～三年前から、靭帯が骨化し身体が徐々に曲がらなくなる進行性の難病に侵され、西洋医学や整体等であらゆる治療を試みましたが回復しませんでした。医者の勧めで身体の芯から治していこうと考え、十年ほど簡化太極拳を続けましたが、それも著しい効果が見られませんでした。ところが知人の紹介で正宗太極拳を始めると、片足立ちもうまくできない状態から、一年ほどで足も高くあがるようになり、活気ある生活を取り戻しました。

〔男性　渋谷本部会員〕

【集中力アップ】

とかくスポーツは、運動量がハードであればあるほど、勉強に充てる体力まで消耗してしまうのが悩みのタネでした。しかし太極拳はその反対で、むしろ疲れ気味の時でも、身体の内部から元気を生み出してくれるのが新鮮です。しかも頭がスッキリとし集中力が高まり、勉強にも力が入ります。おかげで難関を突破し、国家公務員試験に合格することができました。

〔女性　渋谷本部会員〕

【回復力の向上】

正宗太極拳を始めて、持病の膝痛や腰痛、肩こりから解放されたばかりか、四年前に早期ガンの手術をした時には、改めてその効果に感動しました。手術前に精神的な不安を感じることもなく、さらに誰もが苦しむ術後の痛みや抗癌剤による副作用もほとんど感じられなかったからです。気功と太極拳の効果で、精神をコントロールする力や病気に対する抵抗力が養われたのではないかと思います。おかげで回復も非常に早まりました。

〔女性　千葉支部会員〕

【リウマチ改善】

リウマチが一気に発病し、アメリカで最先端の治療を受けるなどあらゆる手を尽くしましたが、ひとりで洋服の着脱もできない状態が二年ほど続きました。ある日、医者の勧めで正宗太極拳を習ったところ、関節の動く範囲が広がり痛みも徐々に解消されていきました。今では薬も不要になり、リウマチ因子がマイナスになるまでに著しい回復をとげました。担当医も大変珍しいケースだと驚いています。

〔女性　奥沢支部会員〕

【体質改善】

長年の偏頭痛、腰痛や疲れやすい体質を改善しようと太極拳にトライしたところ、練習後の爽快感が心地良く、特に体重が減り始めたことに驚きました。また、体質や食べ物の嗜好自体が変わり、脂っこいものを以前より欲っしなくなりました。結局九カ月で、健康的に一六キロも痩せることができ、肌の調子、体調共にすこぶる良好な毎日を過ごしています。

〔女性　渋谷本部会員〕

【胃炎改善】

新天地を求めて十一年前にベトナムから日本へ移民してきましたが、仕事と勉強の両立という多忙な生活のストレスにより、神経性の胃炎に。ちょうどその頃、全日本柔拳連盟のポスターを見かけ太極拳を知りました。攻防の術を備えた拳法でありながら、効果的な病の治療法でもある太極拳が、自律神経のバランスを整えてくれ、半年後には薬も使わずに完治しました。同時に、生き生きとした態度と自信も与えてくれた太極拳に感謝しています。

〔ベトナム人男性　渋谷本部会員〕

【アトピー・喘息改善】

二人揃って三歳頃からアトピーと喘息を患い、薬の副作用も加わり虚弱体質に。漢方やさまざまな治療も効果がなくあきらめかけていた頃、体質改善と太極拳特有の優雅な形を身につけたいと考え太極拳を習い始めました。一年ほどは一進一退を繰り返す日々が続きましたが、確実に呼吸が楽になっていき、ついには喘息の発作も、全身が真っ赤になりかゆかったアトピー症状も完治しました。今では健康そのものの元気な身体になり、全身が生まれ変わったという感じさえします。

〔双子姉妹　渋谷本部会員〕

【卵巣のう腫改善】

外科的手術が必要なほど大きくなった卵巣のう腫により体調不良に。そこで自然治癒力を高めようと考え、友人の勧めで正宗太極拳を始めました。すると二十日後には卵巣のう腫が半分の大きさに。手術をせずに治せると信じて太極拳を続けるうち、一年後には正常の大きさに戻りました。太極拳の「気」が持つ人知を超えた力には、医者も驚いていました。

〔女性　渋谷本部会員〕

【被爆の後遺症改善】

一歳の夏、長崎で被爆。以来、背中にできた悪性腫瘍や、痒みと痛みを伴う全身に広がる斑点、左足の激痛など、被爆が原因と思われる症状と、手術等のつらい治療に苦しんできました。しかし、担当医師の勧めで、正宗太極拳を始めると、徐々に体質が改善され、一年ほどで足の痛みが完全に消えました。レベルがあがるごとに体調が良くなっていく実感と喜びが、再発の不安を抑えてくれるので嬉しく思います。

〔女性　渋谷本部会員〕

【虚弱体質改善】

子供の頃に大腸カタルを病んだせいで、常に腸の調子が悪く、風邪もひきやすく冷え性にも悩む虚弱体質でした。しかし正宗太極拳を始めてみると、体質は見事に改善され、爽快な気分で毎日を送れるようになりました。長時間のデスクワークによる肩凝りや腰痛にも効果抜群で、体力に自信がつき、内面的な悩みも解決できる自律心も養われたと思います。

〔女性　渋谷本部会員〕

【心臓病改善】

六十二歳の時、重度の心臓病を発病し、ペースメーカーを体内に埋め込みました。発病から十年以上経った七十五歳の時、車椅子を押してもらい正宗太極拳の見学に。始めた当初は歩くことも困難で、休憩しながら稽古をする状態だったのですが、数年後には階段を勢いよくかけあがれるまでに回復しました。現在、九十歳ですが、現役の医師として手術の執刀も手掛けるほど多忙な毎日を送っています。自分でも驚くほどの若々しさと健康を保てるのは、まさに正宗太極拳のおかげだと思っています。

〔男性　渋谷本部会員〕

太極拳小事典

五十音順

●陰陽《いんよう》五《ご》行《ぎょう》思想《しそう》

古代中国に起源をもつ哲理。一切の万物は「陰」と「陽」の二気によって生じ、五行中、「木・火」は陽に、「金・水」は陰に属し、「土」はその中間にあるとする。

●簡化《かんか》太極《たいきょく》拳《けん》

楊式太極拳で主要となる二十四の動作をまとめたもので、一般層への太極拳の普及を目的に中国体育委員会が一九五六年に制定。健康運動としての太極拳の普及に大きく貢献している。二十四式太極拳とも呼ばれている。

●功夫《かんふう》

武芸などの修行を積むこと。技・腕前。

●外家拳《がいかけん》

少林拳、蛇拳《じゃけん》など、筋力と瞬発力で闘う拳法。中国剛拳を指す。対称語は内家拳《ないかけん》（中国柔拳《じゅうけん》）。

●形意拳《けいいけん》

太極拳や八卦掌《はっけしょう》と同じく中国柔拳《じゅうけん》の一つ。五行拳や十二の動物の性格を表して動作が作られた十二形拳が有名。一撃必殺の異名を持つ単純豪快で実戦的な拳法。多くの有名な達人を輩出している。劉奇《りゅうき》蘭《らん》―張兆東《ちょうちょうとう》―王樹金《おうじゅきん》と終南門派《しゅうなんもんぱ》に伝承された形意拳は保守派と呼ばれる。

●経絡《けいらく》

気の通る道筋をいう。中国においては古代より常識的な器官とされてきたが、西洋医学ではいまだ明確には説明されていない。

●剛拳《ごうけん》

筋力と瞬発力を鍛えて拳の威力を高めて闘う攻撃主体の拳法。中国剛拳（外家拳《がいかけん》）では少林拳など。日本のものでは空手など。対称語は柔拳《じゅうけん》。

●師兄《しけい》

中国語で「兄弟子」のこと。中国では自分の先生のことを「老師」と呼び、弟弟子を「師弟」、自分の老師の兄弟子を「師伯」、自分の老師の老師を「師公」または「師爺」と呼ぶ。

＊本書では、日本の読者にわかりやすいように敬称をつけており、必ずしもこの中国の敬称に忠実ではない（本来は、地曳会長の弟子の立場から見ると王樹金老師は、師爺であり、王福来老師は、師伯となる）。

●**終南門派**《しゅうなんもんぱ》

多くの達人、名人を輩出している、中国武術界の一流派。元来、形意《けいい》拳《けん》の名門として名高く、現在は八《はっ》卦《け》掌《しょう》や、太極拳も伝承している。西安《せいあん》近くの終南山の名に由来する。

●**柔拳**《じゅうけん》

筋肉の力に頼らず、気の力と技をもって行う武道。古来より、上層階級が身につけた護身術だった。中国柔拳（内家拳《ないかけん》）としては太極拳・形意拳《けいいけん》・八卦掌《はっけしょう》などがある。日本のものでは大東流合気武道《だいとうりゅうあいきぶどう》など。体格差や年齢差にあまり影響を受けないのも特徴。

●**儒教**《じゅきょう》

孔子を祖とする教学。儒学の教え。四書・五経を経典とする。

●**少林拳**《しょうりんけん》

少林寺で達磨《だるま》大師が授けたという心身鍛練の法を起源とする拳法。

●**推手**《すいしゅ》

いわゆる太極拳の組手の練習法。手と手を合わせ行う。

●**寸勁**《すんけい》

わずかな距離、一寸の距離から打ち込んで用いる特殊な当身《あてみ》。

●**正宗太極拳**《せいそうたいきょくけん》

一九四〇年に国をあげて南京中央国術館で最強を目指して作られた太極拳。あらゆる流派の太極拳が再検討され、技の粋が集められた。日本に初めて王樹金老師《おうじゅきんろうし》により紹介された太極拳でもある。正宗とは中国語の「正統の最も優れている」という意味。

●**太成気功**《たいせいきこう》

王薌齋《おうこうさい》により、中国医学・運動生理学を考慮してまとめられた効果の高い気功法。站椿法《たんしょうほう》の一つ。

●**太極拳の「化勁**《かけい》**」**

柔軟な身体さばきなどによって相手の勢いを消化する、無力化すること。太極拳の推手《すいしゅ》では特に重視される。

●站椿法《たんしょうほう》
独特の構えでじっと立ったまま内功を練る修行法。近年、体内外のバランスを整える健身治病の気功養生法として普及している。

●点穴《てんけつ》
人体の急所をつき、気の流れを乱して内臓や身体全体にダメージを与える技。

●導引術《どういんじゅつ》
道家で行う一種の治療・養生法、長生法。関節・体肢を屈伸・動作させたり、静座・摩擦・呼吸などを行ったりする。

●道教《どうきょう》
中国漢民族の伝統宗教。老荘道家の流れを汲み、これに陰陽五行説や神仙思想などを加味して、不老長生の術を求め、符呪・祈祷などを行う。儒教・仏教と共に三教と称せられる。

●内家拳《ないかけん》
太極拳・形意拳《けいいけん》・八卦掌《はっけしょう》など内功的な鍛錬をする拳法の総称であり、中国柔拳《じゅうけん》を指す。対称語としては外家拳《がいかけん》（中国剛拳《ごうけん》）。

●南京中央国術館
一九二八年、当時の首都南京に設立された中国の国立武術館。伝統武術を「国術」として近代化し、全国に普及させる原動力となった。日中戦争と国共内戦の中で移転を繰り返し、のちに台湾で中華国術総会となった。

●発勁《はっけい》（左ページの写真参照）
勁《けい》（気の力）を一気に打ち出す中国武術独特の攻撃をいう。発勁は熟達の度合いにより短い間合いで発することができるようになり、長勁・尺勁・寸勁・分勁という密着状態でもできるようになる。

●八卦掌《はっけしょう》
太極拳・形意拳《けいいけん》と共に中国柔拳《じゅうけん》に分類される。中国古来の八卦思想を背景として体系化され、円周上を回りながら型を行う独特の練習法で知られる。変幻自在なその戦いぶりは最高峰の拳法の異名にふさわしい。清朝末期の董海川《とうかいせん》が有名。

●抜筋骨《ばっきんこつ》
太極拳をする前に行い、全身の関節をゆるめ、筋を伸ばし、気血の流れを良くするもの。

●**風水**《ふうすい》

地気・地勢・陰陽五行・方位などを考え合せて、都城・住宅・墳墓の地を定める術。

●**老師**《ろうし》

中国語で先生という意味。

発勁の威力

気の力を生かした太極拳では、いとも簡単に壁際まで体を押しやってしまう。

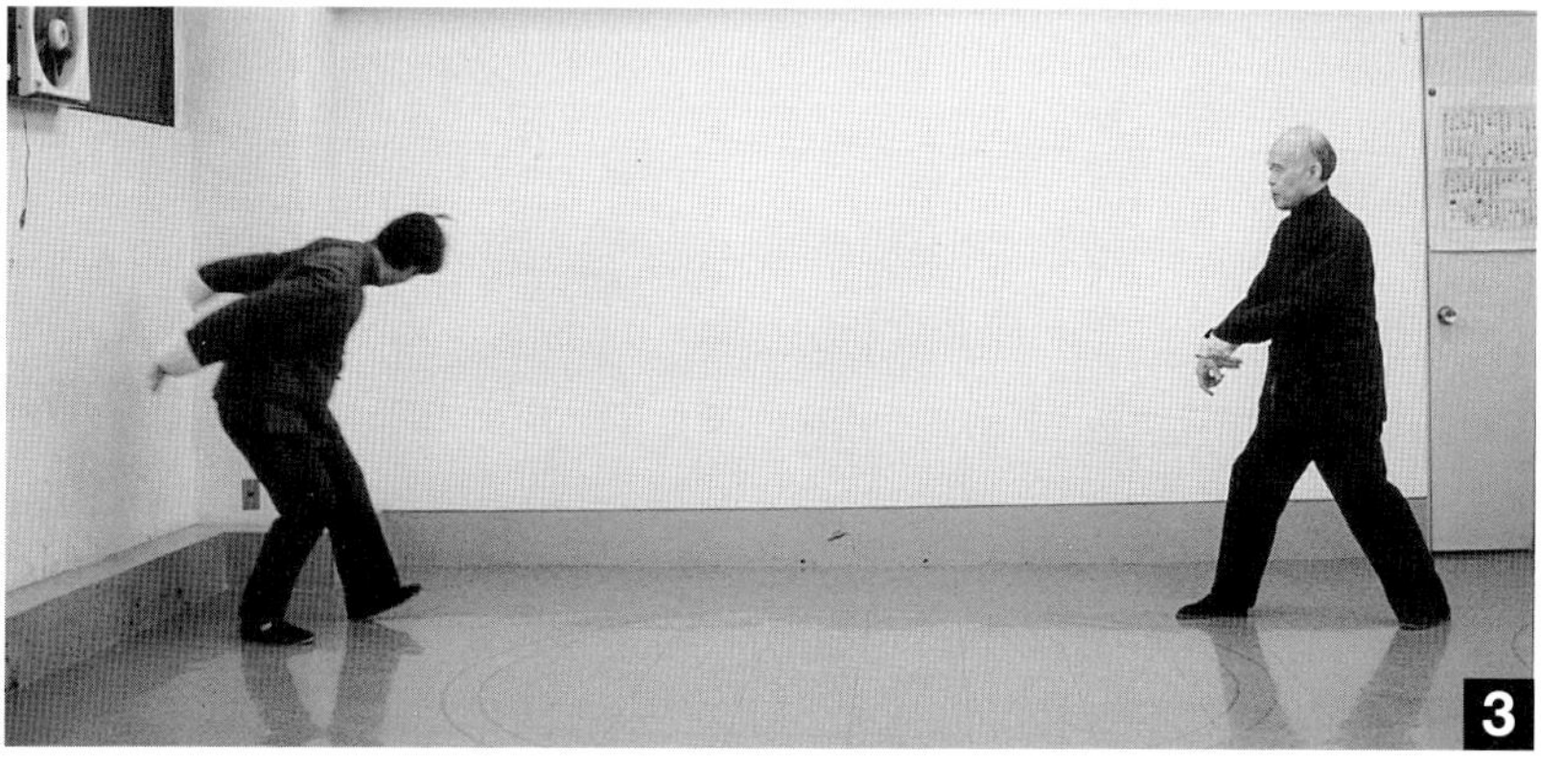

王《おう》薌《こう》齋《さい》

一八八六～一九六三年。郭雲深《かくうんしん》最晩年の弟子。三十三歳以後、各地を訪ねて拳法の研究を重ね、その後天津にて張兆東《ちょうちょうとう》や李存義《りそんぎ》らと交流を持ってさらに研鑽を深めた。大成気功《たいせいきこう》はこうした長年の研鑽の中でまとめられていった站椿法《たんしょうほう》である。後に意拳を創設。

王《おう》樹《じゅ》金《きん》

日本に初めて正式に太極拳を紹介した中国武術の大家。一九〇五～一九八一年。字《あざな》は(王《おう》)恒蓀《ほんすん》。一九五九年の初来日後、文化使節として度々来日し、指導活動を展開。計二十一回来日した。日本太極拳史の原点ともいえる存在。十六歳で名人・張兆東《ちょうちょうとう》に拝師《はいし》し、王薌齋《おうこうさい》、蕭海波《しょうかいは》からも指導を受ける。渡台後は海外において活動を繰り広げ、その伝説的な強さは国際的に著名（P252参照）。

郭《かく》雲《うん》深《しん》

一八二〇～一九〇一年。形意拳《けいいけん》の実戦的大家として知られる。柔拳に出会う前は、気性の強さゆえにしばしば粗暴になることがあったため、最初は師の李洛能から教えることを拒まれていた。しかし、あきらめずにその後三年間独学で崩拳を研究。その姿勢と研究の成果を李洛能《りらくのう》に認められ、入門を許可された。体格的にはそれほど大きい人物ではないが、「半歩崩拳」すなわち寄り足中段突き一本でその名を轟かせた（P230参照）。

岳《がく》飛《ひ》

一一〇三～一一四一年。中国・南宋の武将。北宋末の動乱期に義勇軍に参加。もともとは豪農の出であったが、武勇に優れており、金との戦いなどで数々の軍功をあげ、ついには湖北の地で軍閥の頭領となった。しかし、講和派の宰相秦檜《しんかい》と対立し、無実の罪によって悲劇的な獄死をとげた。のちに免罪が証明され、民族的英雄として岳王廟に祀られた。

岳飛画「晩笑堂竹荘畫傳」より

蕭《しょう》海《かい》波《は》

河北省出身。清朝庄親王府の武術教師の担当を経験。一九三〇年頃、張兆東《ちょうちょうとう》の招聘を受け、天津第一国術館に赴任した。

張兆東《ちょうちょうとう》（占魁《せんかい》）

一八五九～一九四〇年。天津を拠点として活躍した近代武術界の巨頭。本来は形意拳《けいいけん》を得意としたが、董海川《とうかいせん》と知り合い、新たに八卦掌《はっけしょう》を併修。豪放な性格を反映して、その武術的動きも豪快であった。後に王薌齋《おうこうさい》の站椿功《たんしょうこう》を高く評価し一門に導入、若い門人達に学ばせた。一時、治安取り締まりの任にあたり、強賊を捕らえるなどの功績を挙げ、社会的にも知られた（P84参照）。

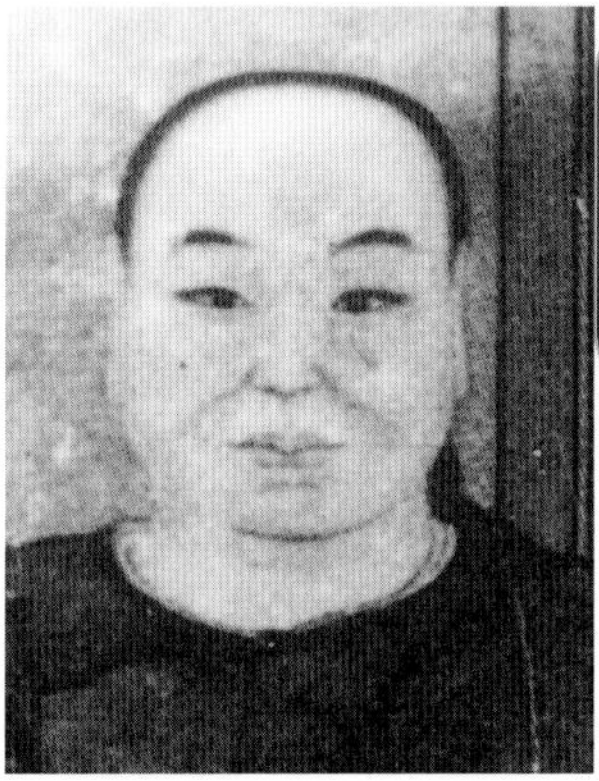

董海川《とうかいせん》

一七九七～一八八二年頃。八卦掌《はっけしょう》の大家。河北省文安県の出身。粛親王に見出され、王府の師範を成した。

楊澄甫《ようとうほ》

一八八三～一九三七年。楊家《ようけ》太極拳第三代宗家。「楊澄甫の前に楊澄甫なし、楊澄甫の後に楊澄甫なし」と謳われた。太極拳の全国的普及に大きく貢献する。現在普及している楊家太極拳は概ねこの系統。その意味では近代太極拳の確立者と位置づけられる。

八卦形意系統表

中華武術誠明會公式系図

【形意拳系統表】

- 岳飛
  - 姫隆豊
    - 曹繼武(山西派) —∫— 李洛能
      - 郭雲深
        - 王薌齊
        - 李奎元 — 孫祿堂
      - 劉奇蘭
        - 張兆東
          - 韓慕侠
          - 王樹金
            - 紀金標…等
            - 王福來
            - 黄淑春
            - 地曳秀峰(日本)
          - 姜容樵
          - 趙道新
        - 李存義
          - 陳泮嶺
          - 尚雲祥
    - 馬學禮(南派)

【八卦掌系統表】

- 董海川
  - 尹福
  - 程廷華
    - 程海亭 — 陳泮嶺
    - 程有龍
  - 梁振蒲
  - 張兆東
    - 王樹金
      - 紀金標…等
      - 王福來
      - 黄淑春
      - 地曳秀峰(日本)
  - 李存義

隠士
蕭海波 ……… 王樹金(八卦掌奥義)

コラム4

王樹金老師の活動を支えた陳《ちん》泮《ばん》嶺《れい》氏

陳氏は直筆で特別の敬語で署名した写真を王樹金老師に寄贈した

王樹金老師《おうじゅきんろうし》の活動を、強く支えてきたのが陳泮嶺《ちんばんれい》氏（一八九一―一九六七年）であった。台湾政府の高官だった陳氏は、中国武術にも大変造詣が深かった。陳氏の師である李存義《りそんぎ》先師と、王老師の師である張兆東《ちょうちょうとう》先師とは兄弟弟子なので、陳氏と王老師も兄弟弟子の関係となる（P283系図参照）。

陳氏と王老師との親交は大変篤く、台中で再会してからは互いに技を研究しあう仲であった。

陳氏が王老師を指導していたとの説もあるようだが、この写真の通り、陳氏は「吾兄」ならびに「恵存」「敬贈」という特別の敬語をわざわざ直筆で自分の写真に書き添え王老師に贈っている。もし陳氏が自身を「王老師の指導者」だと思うのであれば、このようなものを王老師に贈ることはあり得ないのではないだろうか。しかも陳氏は、社会的地位も年齢も王老師よりもはるかに上なのである。

この陳氏の直筆入りの写真は、陳氏がいかに王老師を尊敬し、立てていたかをうかがい知れる貴重な資料である。現在、この写真は王樹金記念館に展示されている。

正《せい》宗《そう》太《たい》極《きょく》剣《つるぎ》

正宗《せいそう》太極剣は、王樹金《おうじゅきん》老師が重要視されていた貴重な技である。王樹金老師は武術家の目から見てこの剣が数ある太極剣の中で最も優れていると認め、これを終南門派《しゅうなんもんぱ》に採り入れられた。

正宗太極剣の型は、正宗太極拳の型の動きに共通点があり、太極拳を詳細に習得するのにも役立つものである。優雅で格調高い動きでありながらその技はバリエーションに富んでいる。

「太極拳　全」の再版によせて

全日本柔拳《じゅうけん》連盟 師範　川岸 和男

このたび、私たちの老師である地曳秀峰《じびきひでみね》先生の「王樹金老師の太極拳・全」の改訂版が出版されることは我々弟子一同にとってこのうえない喜びであります。

中国武術の大家・王樹金老師の技を正統に継承された地曳先生による入門書の再版は、長らく待ち望まれたものでした。と言うのも、過去に日本で紹介されてきたどのような太極拳とも一線を画す正宗《せいそう》太極拳が、専門家ばかりでなく、広く一般の方にも正しく紹介される機会となるためです。

地曳先生に師事させていただき、早いもので三十六年が経ちました。地曳先生の繰り出される技の数々は、まさに神業のごときもので、その神秘の技を追い求め、一歩でも二歩でも先生に近づくことができるならばと、日々修行を続けております。先生は王樹金老師《おうじゅきんろうし》の日本で唯一の入室弟子であるにもかかわらず、大変に慎み深く、現在でも黙々と精進を重ねておられる後ろ姿に我々は尊敬の念を抱いております。

地曳先生とお会いした時、先生は他の道場で、師範が病気療養中の間、我々の指導にあたっておられましたが、やがて師範の快復を待たれて、そちらをお辞めになりました。私たちは地曳先生の卓越した技をもう一度習いたく、先生の連絡先を探すのに大変難儀しましたが、ようやく連絡をとることができ、改めて近くの体育館を手配して指導をお願いしたという逸話があります。

もともと私は空手を六年ほどやっていましたが、非常に緩《ゆる》やかな太極拳の動きを初めて見たとき、これで本当に、他の武術と渡り合えるのかという疑問がありました。

しかし、地曳先生がご自分の弟子たちを集めて開催して下さった講習会で、王樹金老師の技を実際に拝見したとき、迷いは消え失せました。老師は、いわゆる屈強な武道家と違い、威圧感のないふんわりとした雰囲気をお持ちの方でした。試合のときも、「自由に突いてらっしゃい」と悠然と構えておられ、相手に対する恐れや緊張感が微塵も感じられません。しかし、空手界の重鎮も認めるその強さを目の当たりにし、私は柔拳の道を進むべく心が定まったように思います。

その講習会で、王樹金老師は、参加した生徒たちと二人で写真を撮らせてくださったり、老師のご著書にサインをくださいました。王老師が直筆で要訣を書かれた紙をいただいた生徒も大勢いました。これらのことは大変光栄なことであり、私たちは、宝として大切に所持しております。私たち生徒に対して、そのようにあたたかく気さくに接してくださった王老師と、弟子達にそのような貴重な機会をお与えいただいた地曳先生のご好意に、今でも深く感謝しております。

空手や柔道のように体力を必要とする武道は、年齢と共に引退せざるを得ない寂しさがありますが、太極拳などの柔拳は年齢を重ねさらには社会的な視野が深まれば深まるほど無駄な力が抜けて技に円熟味が増し、生涯を通して楽しく修行をすることができます。柔拳の種目であればすべて修めたいと望んだ時期もありましたが、そこまでの器用さは自分にはなく、中国柔拳を十年やり、その後は、合気武道一本に絞って修行を続けております。

私は税理士という仕事柄、資産家、経営者の方々と接しておりますが、資産を維持し経営することがいかに孤独なことかと痛感することがあります。そんな時、道場で得た武術や人の縁が、少々のことでは揺るがない、何よりの財産と頼もしく思われてきます。

この書物によって広く社会の人々も同様の宝を見つけることができればと願っております。

おわりに

中国武術は、口伝によって師から弟子に伝承されていくものであり、書物による技の伝承はなかなか難しいとされてきた。十年前に初めて本書を出版するまで長い年月を要してしまったのも、書籍による太極拳の伝授がどこまで可能なのか、その真実を確かめつつ、作業をしたためである。

文中、王樹金老師の数あるエピソードの中からいくつかご紹介したが、これらは全て私が実際にこの目で確認したこと、また、他人から聞いたことを記したものである。誤解のないよう明らかにしておくと、王老師ご自身が自慢話をされたことは一度もない。そこに王老師の人柄が象徴されていると同時に、高名でありながら常に謙虚な姿勢を忘れない老師を、私は人間としても武術家としても心から尊敬申しあげている。

本書で述べたことは、私が王樹金老師から学んできた武術を、口伝ではなく書籍の形で紹介した初めての試みである。また、太極拳の歴史や武術界における位置づけなどについては、できるだけ正確を期したつもりだが、錯誤や遺漏の個所があれば、今後の武道振興のため、お教えいただければ幸いである。

＊

王樹金老師は、中国伝統武術を極め、達人の名をほしいままにしながらも、常に「研究」と「練習」の重要さを説かれ、ご自身も常に鍛錬を積まれておられた。師から見聞きするもの、あるいは本書のような書物から得る知識が「研究」であるとすれば、ここで得た知識を「練習」に結びつけて、初めて技は完成の域に近づく。

よって、本書を通して太極拳に興味を持たれた方、また、すでに道場で修行を積まれている方も、「研究」と「練習」の積み重ねによって太極拳の技を習得されていくことをお勧めする。

太極拳に代表される中国柔拳の真髄は「護身」である。本書でも繰り返し述べてきたように、身につけた技は、外敵から身を守り、内的な病魔からも身を護る。さらには精神と肉体の鍛錬によって、健康な肉体と健全な精神を作りあげていくことであろう。技のみならず、これら「心・技・体」がひとつになったとき、はじめてその奥義も見えてくるものだと著者は信じてやまない。

また、「中国武術」でもあると同時に、中国養生法の知恵に裏付けられた太極拳は、読者の方々の健康維持にも寄与することと思う。医学的な証明は専門の方におまかせしたいと思うが、西洋医学でも治療が難しいとされているリウマチなどの難病を、太極拳を始めたことで克服した会員の方は、現実に何人もおられる。こうした「太極拳と健康との関係」を知らずにお悩みの方も、本書をご覧いただき、また、当道場を気軽に訪ねていただければ、お力になれるものと思う。

現在、東京・渋谷本部を中心とする当道場の会員も全国に三千人を数えるようになったが、会員諸氏からも本書の再版を望む声が高まっていた。その責務を果たせたこと、また、私も傘寿を過ぎ、今までの技の集大成をする秋（とき）に、王樹金老師の太極拳の改訂本を出版することができたことは、ひとつの仕事をやり終えた感があり、大変嬉しく思う。王樹金老師より受けたご恩は文字通り山よりも高く海よりも深く、報恩はたやすく行えるものではないが、本書が老師への恩に報いることの一つとなってくれればと願うものである。

最後に、撮影にご協力いただいた王福来*師兄、初版時に寄稿下さった故・呉柏堂《ごはくどう》先生、また本書の出版にあたって御協力いただいた堤早苗、高橋芳明、南條竹則、地曳寛子の各氏に心より御礼申しあげる。

平成二十一年十二月吉日

全日本柔拳連盟 会長
八卦掌 第四世伝人

地《じ》曳《びき》秀《ひで》峰《みね》

西暦	東アジア	日本	終南門派の主な武術家
	秦、中国を統一（221）	弥生文化	
	漢（前漢）建国（202）		
紀元	後漢建国（25）	古墳時代	
		仏教伝来（538頃）	
500		聖徳太子、摂政となる(539)	
	隋建国（581）		
	唐建国（618）	平城京遷都（710）	
		平安京遷都（794）	
	宋建国（960）		
1000	金建国（1115）		
	南宋建国（1127）		岳飛
		鎌倉幕府（1192～1333）	
		室町幕府（1338～1573）	
	明建国（1368）		姫隆豊
1500		戦国時代	
1600		江戸幕府（1603～1867）	
	後金（清）建国（1616）		
	後金、清と改称（1636）		
1700	乾隆帝即位（1735）		
	白蓮教徒の乱（1796～1804）		董海川（1797～1882）
1800	アヘン戦争（1840～1842）		
	南京条約（1842）		
	太平天国の乱（1851～1864）		張兆東（1859～1940）
	アロー戦争（1856～1860）	明治（1868～1912）	
	光緒帝即位、東西両太后摂政(1875)		
	清仏戦争/朝鮮で甲申事変（1884）		王薌齋（1886～1963）
	天津条約（1885）	日清戦争（1894～1895）	陳洋嶺(1891～1967)
1900	義和団事件（1900～1901）		王樹金
	辛亥革命（1911）		（1905～1981）
	中華民国建国、清滅亡（1912）	大正（1912～1926）	
	第1次国共合作（1924）	昭和（1926～1988）	地曳秀峰
	盧溝橋事件（1937）	日中戦争開始(1937～1945)	（1927～） 王福来
	中央国術館にて正宗太極拳が作られる(1940)		（1941～）
	文化大革命開始（1966）		
		日中平和友好条約(1978)	
	中国、第2次天安門事件（1989）	平成（1989～）	

参考文献（順不同）

八卦連環掌	王樹金編纂	徐人衆
八卦遊身掌	〃	中華民国中華国術会教育部體育司
太極拳	王福来編纂	誠明會専用國術教材
東洋医学	大塚恭男　著	岩波新書
Books Esterica　道教の本		学研
図解　形意母拳	金仁明　著	
中国の歴史	陳舜臣　著	平凡社
形意雜式捶・八式拳合編	姜容樵　著	華聯出版社
気の中国文化気功・養生・風水・易	三浦國雄　著	創元社

お願い

全日本柔拳連盟では、王樹金老師に関する資料、情報、写真などを収集しています。どのような資料でもお持ちの方は是非ご一報ください。

大切に複写の後、薄謝とともにご返却いたします。

よろしくお願い申し上げます。　全日本柔拳連盟 広報部

全日本柔拳連盟渋谷本部道場

東京都渋谷区渋谷3-21-11（渋谷駅東口 徒歩 2 分）
ホームページ●http://www.taikyokuken.co.jp/
メールアドレス●info@taikyokuken.co.jp
TEL 03（3400）9371　FAX 03（3400）9368

写真協力　国際教練の鈴木良之、風間章一、萩澤成彦、谷内田一郎

太極拳　全

2010年３月23日　初版発行
2018年３月15日　第２刷発行

著　者　地　曳　秀　峰
発行者　大　槻　　　健
発行所　東京書店株式会社

〒101-0051　東京都千代田区神田神保町2-40-7　友輪ビル４Ｆ
TEL.03-5212-4100　FAX.03-5212-4102
http://www.tokyoshoten.net

印刷・製本　株式会社東京印書館
表紙・カバーデザイン　平山貴文
本文デザイン・DTP　株式会社ライラック（杉山 久、今住真由美、肱元 礼）

ISBN978-4-88574-635-2